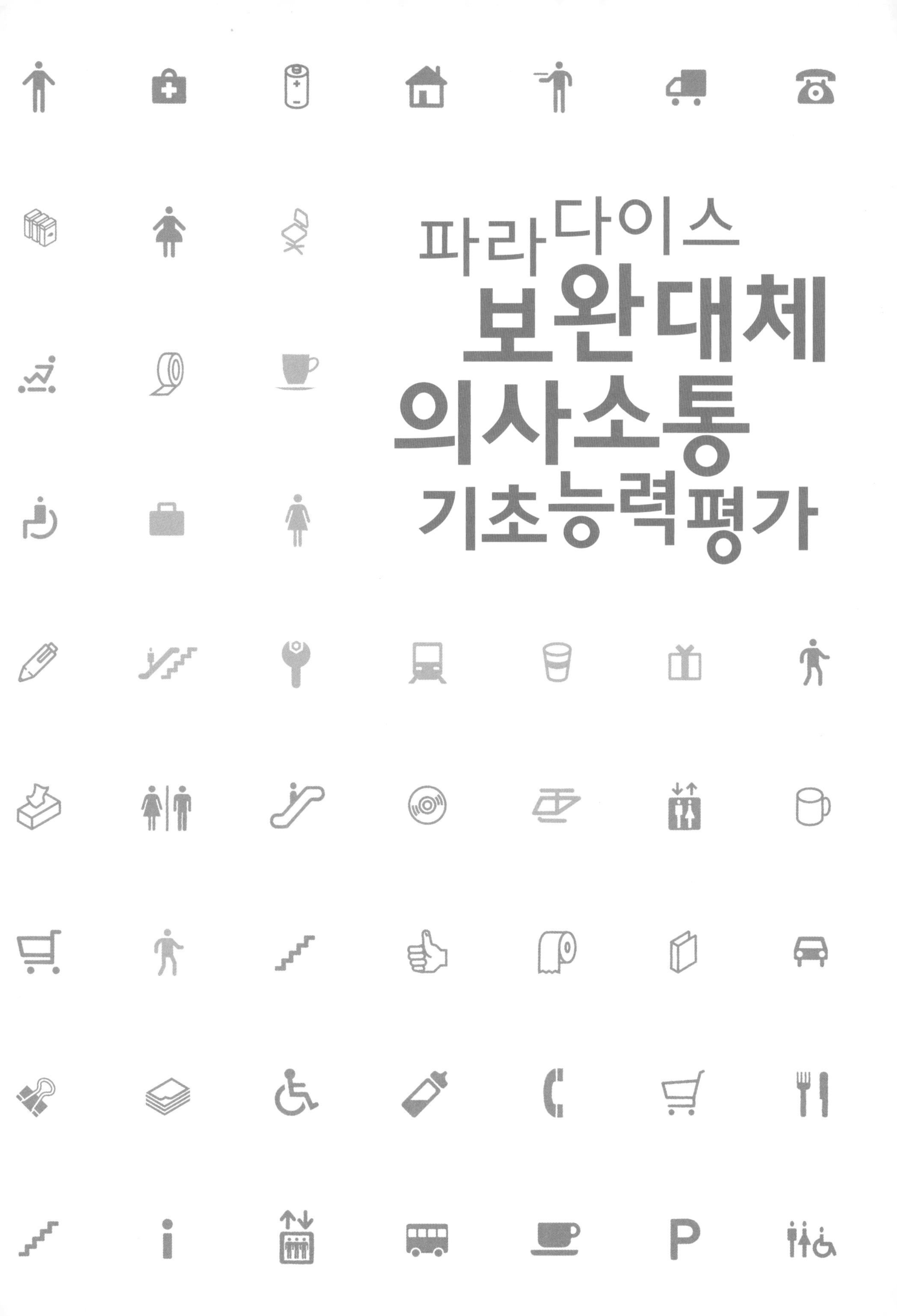
파라다이스
보완대체
의사소통
기초능력평가

파라다이스 보완대체 의사소통 기초능력평가

Paradise AAC Assessment

저자 | 박은혜, 김영태, 김정연

PiCD
PARADISE WELFARE FOUNDATION

파라다이스 보완대체 의사소통 기초능력 평가

PAA : Paradise AAC Assessment

저 자 박은혜, 김영태, 김정연

초판인쇄 2008년 8월 25일
초판발행 2008년 8월 27일
발 행 처 재단법인 파라다이스 복지재단
발 행 인 정 원 식
등 록 2002년 5월 13일 제23532호
주 소 100-855 서울시 중구 장충동 2가 186-39
전 화 02-2277-3296
홈페이지 http://paradise.or.kr
가 격 10,000원
I S B N 978-89-90604-28-6

온라인 판매 아이소리 http://isorimall.com

저자와 협약하여 인지를 생략합니다.
잘못된 책은 바꾸어 드립니다.

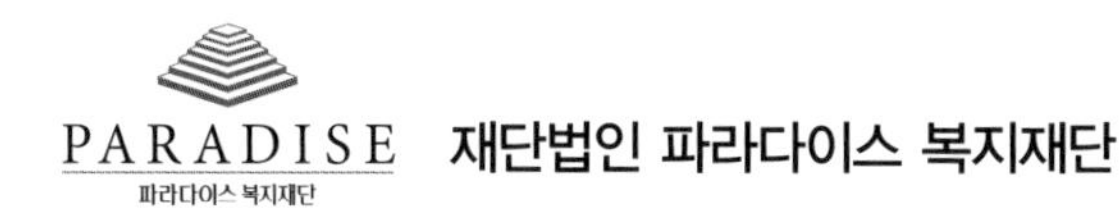

재단법인 파라다이스 복지재단

재단법인 파라다이스 복지재단은 기업의 사회적 책임과 역할을 강조하는 파라다이스그룹의 창업이념에 따라 1994년 설립되어 더불어 살아가는 공동체의 실현과 기업 이윤의 사회 환원을 위해 진력하고 있습니다. 기업의 공익재단으로서는 유일하게 장애아동의 복지를 전문적으로 지원하는 파라다이스 복지재단은 장애아동의 삶의 질 향상이라는 기본 목표를 향해 구체적이고 보다 질 높은 서비스 제공에 최선을 다하고 있습니다.

• 학술연구사업

교육용 콘텐츠 연구 · 개발, 진단 및 평가도구 개발, 학술 및 현장 연구 지원, 정기간행물 간행

• 지원사업

풀뿌리단체지원, 통합프로그램공모지원, 장애예방및 재활사후관리지원, 통합캠프공모지원, 국제교류지원, 파라다이스 덴탈캠프

• 장애관련 전문교육 사업

장애관련 국내연수, 장애관련 국외연수, 자원봉사자교육

• 표창사업

파라다이스상, 우경장한학생상

• 아이소리넷

온라인 커뮤니티 운영, 장애 아동 치료 및 교육 자료보급

재단법인 파라다이스 복지재단 장애아동연구소

재단법인 파라다이스 복지재단의 부속기관인 파라다이스 복지재단 장애아동연구소(Paradise Institute for Children with Disabilities)는 장애아동의 교육 및 관련 서비스에 대한 전문적인 연구기관입니다. 장애아동연구소는 장애아동의 학습 특성을 고려한 교육용 콘텐츠 개발, 진단 도구 및 평가도구 개발, 학술 및 현장 연구 지원, 장애아동 관련 전문 잡지 발간, 현장 전문가들을 위한 교육 프로그램 실시 등 장애아동에게 적절한 교육 및 관련서비스를 지원하는 역할을 하고자 합니다.

자신의 의사를 충분히 표현하기가 어려운 사람들에게 실질적인 도움이 되기를

장애아동들 중에는 말로 자신의 의사를 충분히 표현하기가 어려운 사람들이 많다. 과거에는 이들에 대해 주로 발음을 교정하거나 발성을 촉진하는 방향으로 언어치료나 특수교육을 시행하였지만, 최근에 와서는 말 이외의 다양한 방법으로 의사를 표현할 수 있도록 지도하는 보완대체 의사소통(Augmentative and Alternative Communication;이하 AAC)이 도입되어 점차로 많이 사용되고 있다. 국내에는 주로 뇌성마비 아동이 많은 지체장애특수학교를 중심으로 사용되기 시작하였고, 최근에는 자폐, 지적장애 아동의 교육현장에서 활용하는 사례가 늘고 있으며, 언어치료실에서의 관심도 높아지고 있다. 그러나 실제로 보완대체 의사소통을 적용하기 위하여 필요한 기초적인 평가도구나 교수학습자료가 아직 별로 개발되지 않았기 때문에 교사나 언어치료사가 실제로 참고하고 사용할 수 있는 자료가 부족하며 관련정보를 제공하는 곳도 많지 않은 실정이다.

본 보완대체 의사소통 기초능력 평가도구(Paradise AAC Assessment)는 이러한 어려움을 해소하는 데 도움이 되기를 바라며 개발되었다. 처음 보완대체 의사소통을 시작하려고 하는 교사나 언어치료사들이 이 평가도구의 영역별 문항들에 따라 점검해 봄으로써 대상 아동에게 맞는 보완대체 의사소통 방법을 개발하는데 필요한 여러 가지 결정(예; 어휘, 상징, 도구 유형이나 크기 등)을 내릴 수 있도록 하고자 하였다.

본서는 Paradise AAC Assessment 지침서로서 AAC의 이론적 기초 및 본 평가 도구에 대한 소개,

구체적 평가방법 설명, 그리고 평가결과 처리 및 평가사례로 구성되어 있다. 이론적 기초 부분에는 AAC를 처음 접하거나 잘 모르는 독자들도 쉽게 이해할 수 있도록 하기 위하여 보완대체 의사소통의 개념 및 평가의 기본원리에 대한 설명을 제공하였으며, 평가방법 설명에서는 구체적인 평가도구 사용방법에 대한 설명과 함께 각 문항을 이해하고 적절히 평가하는데 필요한 보완대체 의사소통의 배경 정보들을 가능한 상세히 제공하고, 사진자료도 포함하여 이해를 돕고자 하였다.

개인의 다양한 언어 및 신체 특성을 고려하여 이에 적합한 개별화된 보완대체 의사소통체계를 적용할 수 있도록 하는 것이 AAC 평가이기 때문에 기존의 평가도구와 같이 표준화된 도구를 만들기가 어려우며, 따라서 평가 결과를 해석하고 처리하는 데 어느 정도 평가자의 전문적인 판단이 필요하게 된다. 본서에서는 마지막 평가결과 처리 부분에서 다양한 평가 사례를 소개하여 이러한 평가자의 종합적 판단을 돕고자 하였다. 본 평가도구의 문항들은 관련 연구문헌 및 해외의 평가 도구를 참조하고, 다수의 특수교사 및 언어치료사들의 검토과정을 거쳐서 확정되었다. 그러나 실제로 더 많은 사용자들에 의해 사용되면 앞으로 더 보완해야 하는 부분이 나올 수 있으므로, 사용하신 분들께서 조언을 해주신다면 기꺼이 반영하고자 한다.

평가도구 개발 과정의 각종 자료 수집 및 정리를 도와준 김은주, 임수진, 정소영 선생님에게 감사하며, 특히 사례연구와 문항 검토 및 자문을 맡아주신 여러 특수학교 선생님들께도 깊은 감사를 전한다. 또한 본 평가도구 개발을 지원하고 출판을 맡아주신 파라다이스 복지재단에 깊은 감사를 드리며, 본서를 통해 보완대체 의사소통을 필요로 하는 장애아동들을 가르치는 선생님들께서 실제적인 도움을 얻을 수 있으시기를 바란다.

2008년 7월 14일

저자 일동

파라다이스

보완대체 의사소통

기초능력 평가

I. 이론적 기초

1. 보완대체 의사소통(AAC)의 개념

보완대체 의사소통(Augmentative and Alternative Communication)은 의사 표현에 어려움을 겪는 사람들의 문제를 감소시키고 언어능력을 촉진하기 위해 사용하는 말(구어) 이외의 여러 형태의 의사소통 방법을 말하며, 구어 사용을 보완하는 경우와 완전히 대신하는 경우를 모두 포함한다. 말이 많이 늦거나, 언어치료를 받아도 조음이 부정확하여 보완대체 의사소통 방법을 병용하는 경우는 보완적인 경우에 해당하며, 성대 수술이나 조음기관의 마비로 인해 발음을 할 수 없는 경우에는 대체적인 의사소통의 경우라고 보면 된다. 미국 말-언어청각협회(ASHA, 2005)에서는 심한 말-언어장애를 가진 사람들의 장애와 이로 인한 활동 제한 등을 극복하도록 돕는 일 및 관련 연구들을 모두 포함하는 개념으로 보완대체 의사소통을 정의하고 있다.

AAC에서는 일반적으로 그림, 몸짓과 같이 말이 아닌 다른 상징(symbol)을 사용하며, 의사소통판이나 음성이 나오는 의사소통 도구와 같은 보조도구(aid)를 사용하는 경우가 많다. 또한 손가락으로 직접 그림을 가리키기도 하고, 운동능력이 부족한 경우에는 물리학자 스티븐 호킹 박사와 같이 입으로 부는 스위치 등을 이용하여 도구를 작동시키기도 한다. 보다 구체적으로 AAC 체계의 구성 요소 및 사용 대상에 대해 알아보면 다음과 같다.

1) AAC 체계의 구성 요소

AAC 체계는 다음과 같은 네 가지 요소로 구성되어 있다.

① 상징(Symbol)

AAC 상징이란 일반적인 구어(말)가 아닌 다른 상징체계를 말한다. 이 때 사용하는 상징체계는 간단한 수화나 제스처와 같이 별도의 도구가 필요 없는 것도 있고, 그림 상징이나 블리스 상징, 사진 등과 같이 별도의 도구를 사용하는 경우도 있다. 외국에서는 간단한 수화단어도 AAC의 일환으로 많이 사용하지만, 우리나라에서는 청각장애가 있는 경우 외에는 잘 사용되지 않고 있다. 최근 뇌성마비를 가진 청소년을 대상으로 간단한 손짓기호를 가르친 연구가 보고된 바 있다(김정연 • 박은혜, 2006a, 2006b).

그림을 사용하는 상징으로는 리버스(Rebus) 상징, 그림의사소통상징(Picture Communication Symbol, PCS), 마카톤(Makaton)어휘 등이 있다. 현재 국내에서는 지체장애 특수학교를 중심으로 PCS를 프린트하여 사용할 수 있는 컴퓨터 소프트웨어인 Boardmaker program이 보급되어 있어서 일반적으로 PCS가 많이 사용되고 있다. 그 외에도 파라다이스 복지재단에서 개발한 그림상징인 말동무 프로그램, 국립특수교육원에서 2000년에 개발한 보완대체 의사소통용 상징자료(http://old.kise.go.kr/data/augument/) 등을 활용할 수 있으며, 2006년에 키즈보이스(Kids Voice)라는 의사소통도구가 국내에서 개발되면서 자체적인 그림상징을 탑재하였다.

>> 국립특수교육원에서 제공하는 보완대체 의사소통 상징체계

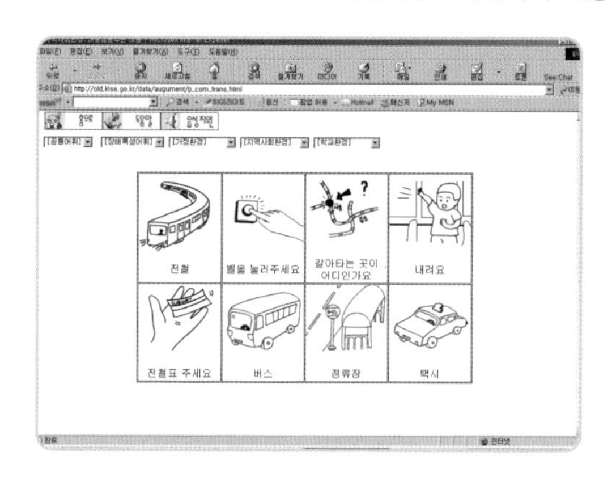

* 총 540여개의 어휘와 그림상징이 제공되며, 인쇄와 음성출력을 지원하고, 어휘는 의사소통상황을 기반으로 제시된다.

단순한 그림상징보다 조금 발전된 상징체계인 블리스 상징은 일정한 구성 체계를 가지고 있어서 의미에 근거한 상징의 조합이 가능한 체계이다. 중국의 한자와 유사한 상형 문자의 형식을 가지고 있으

며, 100여개의 기본 상징을 조합하여 새로운 내용을 결합한 형태로 사용되는데 우리나라를 포함한 세계 33개국 17개의 언어로 번역되어 사용되고 있다(한경임, 1998).

그 외에도 만질 수 있는 촉각 상징은 만져서 변별할 수 있는 상징체계로 대개 시각장애나 이중감각장애(맹-농), 중도의 인지장애아동에게 사용되어 왔다(Beukelman & Mirenda, 2005). 축소형 사물(예: 햄버거 모양의 냉장고 자석 - "간식", "맥도널드" 등을 의미), 사물의 일부분(예: 두루마리 휴지 속대 - "화장실 가고 싶어요")이나 연관된 것(예: 연필- 수업시간 의미) 등의 만질 수 있는 상징들을 사용할 수 있다.

>> 블리스 상징의 예 >> PCS의 예

② 보조도구(Aid)

AAC 보조도구는 상징체계를 담기 위해 제작된 물리적인 도구를 말하며, 직접 제작하는 그림판이나 전자의사소통도구 등을 포함한다. 수화와 같은 비도구 상징을 사용할 경우에는 보조도구를 사용하지 않는 AAC 체계가 된다. 의사소통판이나 의사소통 책 등은 전자의사소통 도구보다 저렴하고 대상아동의 필요에 맞게 다양하게 제작할 수 있다는 장점이 있기 때문에 많이 사용된다. 명함지갑, 작은 앨범 등에 그림상징을 꽂아서 사용하기도 하고, 넘기기가 어려운 뇌성마비 아동을 위해서는 큰 판에 내용을 구성하고 코팅하여 책상에 부착해주기도 한다.

음성이 나오는 전자의사소통도구는 현재 녹음하여 사용할 수 있는 간단한 도구들이 수입되어 사용되고 있다. 녹음시간이 길고 많은 메시지를 녹음 할 수 있는 도구일수록 가격이 비싸진다. 대상아동이 사용할 수 있는 상징을 버튼에 부착하고 해당하는 내용을 녹음하여 사용한다. 칩톡, 테크톡, 빅맥 스위치 등이 많이 사용되고 있다.

2006년에 국립특수교육원에서 지원하여 개발된 보완대체 의사소통도구인 키즈보이스는 음성녹음과 음성합성 모드를 모두 지원하며, 자체개발한 그림상징 외에도 사용자가 사진이나 동영상 등을 편집하여 사용할 수 있도록 하고 있다.

>> 수퍼 토커(Super Talker)

>> 키즈보이스(Kids Voice)

>> 시각장애인을 위해 촉각상징을 사용한 의사소통기기

>> 칩톡(Cheap Talk)

③ 의사소통기술(Technique)

의사소통기술은 의사소통할 내용을 상대방에게 전하는 방법을 말하며, 직접 상징을 선택하는 방법과 스캐닝하는 방법이 대표적이다.

- **직접 선택**: 손가락이나 주먹 등과 같이 스스로 일관성있게 의도적으로 움직일 수 있는 신체부분을 사용하여 그림의사소통판의 상징을 짚거나 상징이 부착된 도구를 누르는 것을 말한다. 이 때 가장 일반적으로 많이 사용하는 손가락부터 시작하여 어떤 신체부분이 적절할 지를 평가하는 단계가 필요하게 된다. 그 외에도 눈으로 원하는 상징을 바라보고 응시함으로써 상대방에게 알게 하는 눈응시(eye-gaze)도 장애가 심한 경우에 사용할 수 있는 방법이다.
- **스캐닝**: 시각적 또는 청각적 스캐닝 방법을 사용할 수 있다. 청각적 스캐닝이란 교사나 다른 대화

상대자가 의사소통판의 내용을 천천히 말해주면 원하는 항목이 나왔을 때 정해진 신호를 통해 선택하는 것을 말한다. 시각적 스캐닝의 경우에는 의사소통 도구에서 불빛이 정해진 순서대로 천천히 이동하면서 사용자가 원하는 항목에 불빛이 왔을 때 스위치를 눌러 선택하는 방법을 말한다. 음성출력 의사소통 도구의 경우 스캐닝모드가 지원되는 것도 있고 그렇지 않은 것도 있다.

④ 전략(Strategy)

AAC 전략이란 AAC 사용자의 의사소통을 촉진시키는 방법들을 말한다. 예를 들어 의사소통판을 색깔별로 코딩하거나, 단어 예측 프로그램을 사용하는 경우 등이다. AAC를 사용하는 경우에는 의사소통 속도가 느려지게 되므로 이를 보완하기 위해 다양한 전략을 개발하여 사용하며, 의사소통 도구에 따라 서로 다른 특성들을 가지고 있다.

그 외의 관련된 개념으로 '음성출력 의사소통 도구'(Voice Output Communication Aid: VOCA)가 있다. 최근에는 SGD(Speech Generating Device)라고도 불리며, 기술의 발달로 가격과 성능이 좋아지고 있어서 많이 보편화되고 있다. 국내에는 아직까지 주로 음성녹음 방식의 VOCA를 수입해서 사용하고 있으며 음성합성 방식의 도구로는 키즈보이스가 있다.

2) AAC 사용 대상자

어떤 이유에서건 구어나 문어 사용을 위해 도움이 필요한 사람은 모두 AAC 사용 대상자가 된다. 일시적으로라도 구어/문어/제스처 등이 의사소통 필요를 충족시키지 못할 때는 AAC를 사용할 수 있다. 따라서 일시적 구어 장애를 보이는 뇌졸중 같은 경우도 해당되며, 약간의 구어능력을 가지고 있더라도 AAC를 사용하여 혜택을 볼 수 있는 대상이 된다. 구체적으로 몇 유형을 살펴보면 다음과 같다.

- **지적장애 및 자폐** : 인지적 문제가 있는 많은 장애아동들이 구어 사용에 어려움을 갖는다. 표현언어가 부족하며 수용언어능력에도 어려움이 있는 경우가 많다. 따라서 교사가 구어적 지시나 설명을 할 때도 AAC 상징을 활용하여 언어이해를 촉진할 수 있으며, 구어와 함께 병용하는 방법으로서 AAC를 많이 사용한다.
- **뇌성마비** : 조음에 필요한 근육들이 마비되어 조음이 불명확하거나 비구어인 경우가 많다. 신체의 전반적인 경직이나 휠체어에 바르게 앉는 자세 등에 대한 전문가들의 협력이 필요하다. 또한, 장기적으로 조음치료 및 운동능력 향상을 위한 중재를 하더라도 당장 의사소통의 필요를 충족시킬 수 있도록 현재의 운동능력에 맞는 AAC 체계를 고안해주어야 한다.
- **성인기의 후천적 장애** : 루게릭병, 외상성뇌손상(TBI), 뇌졸중, 척수손상 등 성인기에 후천적으로 구어 사용에 문제를 가지게 된 경우가 주로 AAC 사용 대상자에 해당된다. 점차적으로 의사소통 능

력이 퇴행하거나, 일시적으로 심한 언어장애를 겪는 경우 등이다. 과거에 정상적인 언어능력을 가졌던 사람들이기 때문에 새로운 AAC를 사용하는 것에 거부감을 갖기 쉬우나, 일상생활과 치료과정에서의 의사소통의 중요성을 고려할 때, AAC 중재가 필요하다. 실어증 환자에게도 적용된 사례가 보고되고 있다.

3) 의사소통판의 내용과 구성

아직까지는 음성이 나오는 전자의사소통 도구는 주로 수입에 의존하고 있기 때문에 손쉽게 제작하여 사용할 수 있는 간단한 의사소통판을 많이 사용한다. 의사소통판을 제작, 적용할 때 고려할 점을 간단히 살펴보면 다음과 같다.

① 의사소통판의 내용

의사소통판은 크게 세 가지로 구성된다. 첫째, 한글 자모음이나 PCS와 같은 상징이다. 둘째, 완전한 문장으로 되어 있는 메시지이다. 시간적 제약을 받는 표현이나 자주 쓰는 표현들은 문장으로 제시하는 것이 시간과 노력을 단축한다. 셋째는 의사소통을 돕기 위한 작동어들이다(예: 다시 시작, 잠깐 아직 안 끝났습니다, 뒤집어 주세요 등). 작동어는 대화상대자의 이해를 돕거나 AAC 사용자가 대화를 주도하기 쉽도록 하기 위한 내용이다. 그 외에도 신체부위의 이름도 유용하게 사용되기도 한다. 사용되는 어휘는 각 아동에 맞게 개별화하여 넣되 지나치게 아동이 수동적이 되지 않도록 유의한다.

② 의사소통판의 구성

어휘 선택이 끝나고 상징이나 부호화 방법이 정해지면 실제로 문항들을 의사소통판 위에 구성해야 한다. 일반적으로 왼쪽에서 오른쪽으로 짚어갈 수 있도록 구성하며, 책으로 만들 경우에는 페이지별로 범주화하여 찾기 쉽도록 인덱스를 붙이기도 한다. 문항의 수는 사용자가 필요로 하는 메시지 및 상징의 수, 문항의 크기, 운동 능력 등에 의해 정해진다. 개별 문항의 크기는 사용자의 시력, 운동 능력, 필요한 문항의 수 등에 영향을 받는다. 눈 응시를 위한 눈응시 판을 만들 때에는 충분히 문항간의 거리가 넓어야 한다.

2. 보완대체 의사소통을 위한 평가

1) AAC 평가의 목적

보완대체 의사소통을 사용하기 위한 평가의 목적은 각 사용자에게 맞도록 개별화된 적합한 방법을 찾아내기 위한 것이다. AAC를 사용할 때 범하기 쉬운 실수 중 하나가 개인의 특성보다 도구 자체를 중요시하는 것이며, 이런 경우 학교에 있는 기자재나 기존의 만들어놓은 의사소통판을 비슷한 문제가 있는 여러 아동에게 획일적으로 적용하는 등의 실수를 불러오기도 한다. 따라서 AAC 적용을 위한 체계적인 평가를 통해 현재 가장 필요한 의사소통방법을 파악하여 적용하고, 대상자의 진보 정도에 따라 적절히 변화시켜주어야 한다.

2) AAC 평가의 기본 원칙

AAC 평가의 기본 원칙을 간단히 정리해보면 다음과 같다(박은혜 외, 2004; 정해동 외, 1999; Beukelman & Mirenda, 2005; Lloyd, 1997). 이러한 원칙들은 구체적으로 평가을 실시하기 전에 검사자가 이해해야 하는 것으로서 AAC 평가가 의미있게 이루어지기 위해 중요한 사항이다.

① AAC 평가는 모든 사람이 의사소통할 수 있다는 전제를 기반으로 한다.

말을 못하더라도 누구나 연령이나 장애 정도에 상관없이 어떤 방법으로든 의사소통을 할 수 있으며, 또한 현재 의사소통을 하고 있다는 것을 전제로 한다. 즉 어떤 이유로든(예: 인지 능력) AAC를 시도할 수 없는 사람은 없다는 것이다. 예를 들어 "00는 너무 장애가 심해서 의사소통(언어) 지도를 할 수 없어요" 라는 말은 AAC 평가에서 성립되지 않는다.

② AAC 평가는 사용자의 강점과 약점을 파악하는 과정이다.

대상 아동의 약점 뿐 아니라 강점도 파악하여 가능한 독립적이고 효율적으로 의사소통할 수 있는 방법을 찾는 것이다. 즉 병리적 문제나 결손부분에 초점을 맞추는 것이 아니라 가능성을 찾는 것이 평가의 더욱 중요한 부분이다.

③ AAC 평가는 현재와 미래의 필요와 요구를 파악해야 한다.

평가 시점에서 대상 아동이 필요로 하는 의사소통 요구뿐 아니라, 가까운 혹은 먼 미래에 변화하게 될 의사소통의 필요도 함께 파악하고 대처할 수 있어야 AAC 평가가 단편적이 되는 것을 막을 수 있다.

예를 들어 지금은 의사소통 대상이 가족과 특수학교 교사뿐이더라도 곧 일반 학교에 통합하게 된다면 통합할 학교에서의 의사소통 필요를 예측하고 준비해야 할 것이다.

④ AAC 평가는 비장애인의 의사소통을 근거로 하는 참여모델이 바람직하다.

현재의 생활환경이나 교육 여건 때문에 의사소통 요구나 의도를 잘 나타내지 않는 장애아동이라 하더라도 같은 연령대의 비장애아동의 생활패턴과 그에 따른 의사소통 형태를 근거로 하여 연령에 맞는 생활을 할 수 있도록 하는 환경적 도움을 주고, 의사소통 능력을 가질 수 있도록 AAC를 활용해야 한다 (Beukelman & Mirenda, 2005).

⑤ AAC 평가는 중재와 연계하여 지속적이고 빈번하게 실시되어야 한다.

AAC를 처음 시작할 때 뿐 아니라 중재를 시행해가면서 사용자의 의사소통 능력이 발전하고, 필요한 어휘가 변해갈 수 있다. 이러한 변화에 따라 적절하게 그에 맞는 AAC로 바꾸어 주어야 하며, 그렇게 하기 위해서는 평가는 중재와 연계되고 지속적으로 이루어져야 한다.

⑥ AAC 평가는 대상자의 다양한 일상생활 환경/상황 안에서의 정보를 포함해야 한다

AAC 사용의 목적은 실제 생활환경에서의 의사소통을 원활하게 하고자 하기 위한 것이므로, 언어치료실이나 교실에서의 의사소통뿐 아니라 사용자의 여러 생활환경에서 어떤 의사소통이 일어나는지, 혹은 일어나야 하는지에 대한 정보가 수집되고 이용되어야 한다.

⑦ 언어치료사, 교사, 부모 등 관련된 사람들이 함께 모여서 평가하는 것이 좋다.

대상아동의 언어치료/언어교육에 가장 관련이 많은 언어치료사, 특수교사, 부모(경우에 따라서는 보조교사, 물리/작업치료사도 포함)가 함께 협력하고 합의하여 AAC에 관한 평가와 결정을 하게 되면, AAC 체계 개발에도 정확성을 더해줄 뿐 아니라 중재가 일관성있게 실행될 수 있다.

3) 평가에 포함되는 영역

AAC 평가모델로서 가장 널리 받아들여지고 있는 것은 Beukelman & Mirenda(2005)의 의사소통 참여모델이다. 1992년에 처음 발표된 이후 지금까지 여러 AAC 평가도구의 이론적 기초를 형성하였으며, AAC 사용자의 환경적 여건과 방해요인을 포함하는 종합적인 접근으로 받아들여지고 있다. 또한 AAC 사용자가 의사소통하는 상대자가 누구인가에 따라 의사소통 방법이 다르다는 것을 전제로 하는 Social Network Model(Blackstone & Berg, 2003)도 AAC 사용자의 의사소통 환경적 요인을 중시하는 방법으로 최근 사용되고 있다. 또한 AAC 사용대상자의 인지 의사소통 능력의 평가도구 연구는 Rowland의 Communcation Matrix를 들 수 있다. Rowland는 의사소통 능력평가 이전에 기초적 인지능력의 평가를 위해서 필요한 것은 a) 자기 자신을 환경과 분리시켜 인식할 수 있는 능력, b) 의사소통을 위한 의도성 여부, c) 인간의 행동 및 성과물에 대한 기대, 혹은 흥미 있는 일을 지속하고 싫은 일을 회피하려는 일반적 지식 등으로서, 이러한 인지적 발달 능력은 AAC 사용능력과도 매우 밀접한 상관을 보인다고 지적하였다 (Rowland & Schweigert, 2003). 이러한 인지발달 개념에 근거하여 만들어진 의사소통 초기단계 대상자들을 위한 Communication Matrix (Rowland, 2004)와 WATI를 참고로 하여 본 연구의 표현언어능력 영역의 문항제작이 이루어졌다. 이동성 및 신체, 자세 잡기 능력에 관련된 평가 문항은 보조 공학 접근성을 위한 검사도구들(예: WATI Assistive Technology Assessment, 2004)을 검토하여 이동성과 자세잡기, 기초적인 신체 능력 및 AAC 도구 사용을 위해 요구되는 조작능력 정도에 대한 평가 문항들을 추출하였다. 이러한 선행이론들을 기초로 하여 AAC 평가에 포함되는 내용을 정리해보면 다음과 같다.

① 대상자의 활동 참여 패턴과 의사소통 욕구에 대한 평가

AAC를 사용하려고 하는 사람이 현재 어떤 활동들에 어떻게 참여하고 있는지 살펴보고, 그러한 활동들에서 대상자가 필요한 의사소통을 충분히 하고 있는지 알아본다. 같은 연령대의 일반아동보다 현저하게 소극적이고 제한적인 활동만 하고 있다면, 의사소통을 할 수 있는 기회 자체가 덜 주어지는 것이므로, 이에 대한 해결책도 생각해야 한다. 참여하고 있는 교육, 지역사회, 기타 일상생활 활동에서 자신이 원하는 만큼 의사소통을 제대로 하고 있지 못하다면 어떤 부분들인지 평가한다.

② AAC 사용에 필요한 세부적인 능력에 대한 평가

AAC를 사용하기 전에 현재의 의사소통 능력 및 언어치료 경력 등을 평가하여, 구어 사용 가능성, 현재 의사소통의 문제점 등을 파악한다. 그 다음, AAC 체계를 사용하는데 필요한 능력들을 세부적으로 평가하여 개별 아동에게 맞는 AAC체계를 개발하는 자료로 삼는다.

• 자세 및 앉기 능력:

바른 자세를 취할 수 있는지, 어떤 자세 보조도구가 필요한 지 등을 평가하여 AAC체계를 사용할 때의 적절한 자세에 대해 알아본다. 안정적이고 바른 자세가 되어 있지 않으면 AAC 체계 사용에도 어려움을 겪기 때문에 신체장애가 있는 경우에는 가장 기본이 되는 부분이다.

• 상징 선택에 필요한 운동능력:

대부분의 AAC가 의사소통판과 같은 보조도구를 사용하기 때문에 상징을 직접 지적하거나 스위치 등의 간접적인 방법을 사용할 때 필요한 아동의 운동능력을 알아보아야 한다. 예를 들어 어떤 아동은 오른쪽 검지로 그림상징을 정확하게 짚을 수 있는 반면, 어떤 아동은 주먹으로 스위치를 눌러서 해당 상징에 불이 켜질 때 선택하는 방법을 사용해야 하기도 한다. 따라서 개인별로 일관성있고 정확하게 사용할 수 있는 신체부위와 운동 패턴을 파악해야 한다.

• 인지 및 언어능력:

수용 어휘 및 기본적인 인지 능력을 알면 AAC체계를 계획하는데 도움이 된다. 또한 PCS, 블리스 상징, 한글 등 여러 상징체계 중 어떤 것이 아동에게 처음 시작하기에 좋은지, 미래를 위해서는 어떤 상징체계로 발전시켜야 할지를 결정하기 위한 평가도 AAC 평가에 포함되는 부분이다. 과거와 달리 상징 사용능력이 아직 발달하지 못한 전언어기의 아동들도 AAC 대상에서 제외되지 않으므로, 아동의 언어발달 수준을 확인하여 상징 이전의 기초적인 언어지도에서부터 AAC를 활용하는 것이 중요하다.

• 철자 능력:

철자능력을 가지고 있는 경우에는 표현의 폭이 넓어지기 때문에 인지능력과 함께 글자를 통해 표현할 수 있는 가능성을 평가하여, 가능한 경우 AAC체계에 적극 도입한다. 한글을 완벽하게 습득하지 못하며 모든 표현을 글로 나타내지 못하더라도 익숙한 어휘는 글자로 하게 할 수도 있다. 표현의 폭 뿐 아니라 다른 상징체계보다 일반인에게 익숙한 것이기 때문에 가능한 글자를 활용하는 것이 좋다.

• 감각능력:

특히 시각 능력을 평가하여, AAC 체계의 구성에 필요한 기본 정보를 확보하도록 한다. 그림이나 기타 상징들이 시각적인 정보이므로 상징의 크기 및 간격, 도구의 배치 등을 결정하는데 중요한 정보가 된다.

③ 어휘 선정

AAC 체계를 만들 때 어떤 어휘나 메시지를 포함시킬 것인가는 의사소통 중재의 매우 중요한 부분이다. 적절한 어휘를 선정하여 제공함으로써 다음과 같은 능력과 기회를 제공한다.

- 대화에 참여해서 의사를 표현할 수 있고,
- 가정, 학교, 직장, 여가생활에 참여할 수 있고,
- 구어를 배울 수 있고,
- 자신의 사회적 역할(친구, 학생, 배우자 등)을 다할 수 있고,
- 개인적 필요를 충족시킬 수 있다.

- 어휘 선정시 고려할 점들에는 다음과 같은 것들이 있다.
  - 의사소통 내용에 따른 어휘들이 아동의 수준에 맞게 적절히 포함되도록 한다. 인사(사회적 예절), 대화의 시작과 종결, 구체적 정보(신변의 생활 이야기, 교과내용 등), 요구/필요사항 등이 포함될 수 있다. 최근에는 성인 장애인을 위한 피해보고용 어휘도 필요하다고 제안되기도 한다 (Beukelman & Mirenda, 2005).
  - 처음 어휘를 선정할 때는 즉각적 보상과 강화가 되는 것(예: 좋아하는 간식 등)을 선정하는 것이 의사소통 중재 효과를 높일 수 있다. 의사소통행동을 함으로써 본인이 선호하는 결과를 즉각적으로 얻게 될 때 앞으로도 그러한 행동을 할 가능성이 높아지기 때문이다.
  - 연령, 성별, 사회적 역할, 개인적 성향(요구, 선호도), 의사소통 상황(집이나 학교 등), 장애 유형 등 다양한 요인을 고려하여 각 상황과 개인에게 맞는 어휘를 선정하도록 노력한다. 연령, 성별, 환경 등에 따라 필요한 어휘가 달라지기 때문이다. 그 외에도 의사소통판뿐 아니라 음성출력도구의 보급이 늘어나고, 저장용량이 확대되는 등 의사소통 도구의 발달이 빠르게 진행되고 있으므로, 도구의 특성도 고려할 필요가 있다.

- 어휘 선정 방법을 살펴보면 다음과 같다.
  - **핵심어휘**: 핵심어휘는 다양한 사람들이 일반적으로 사용하며 매우 빈번하게 발생하는 단어나 메시지를 말한다. 핵심어휘 판별을 위해서는 일반적으로 기존의 일반인이나 장애인 대상으로 작성된 어휘 목록을 참조하여 필요한 것을 체크한다.
  - **부수어휘**: 부수 어휘는 개별적인 의사소통 요구를 위해 제공되는 어휘 낱말이나 메시지를 말하며 핵심어휘와 달리 상대적으로 많은 양의 낱말들이 포함되어 있고 사용자 개인에 관련된 단어들을 포함한다. 즉 자신의 이름, 특정장소, 활동, 선호도 등이 포함된다. 따라서 핵심어휘 목록에서는 나타나지 않는 메시지의 표현을 가능하게 한다. 부수 어휘는 AAC 사용자 자신이나 이들을 잘 알고 이들의 의사소통 상황을 잘 아는 정보제공자들에 의해 추천된다. 즉 부모나 가족, 고용주나 직장 동료, 또는 친구 등이 정보제공자로 적절할 수 있다. 부수 어휘는 대상자의 실제 의사소통 환경과 맥락에서 관찰하거나, 보호자(또는 보조원)에게 의사소통 일지를 적어보도록 하여 개별적인 의사소통 요구를 파악할 수 있다. 상황어휘라고도 불린다.

▶ 참고 어휘 목록

이영미, 김영태, 박은혜 (2005). 학령기 아동의 학교상황 어휘 연구: AAC 적용을 위한 기초 연구. 언어청각장애연구, 10(1), 134-152.

박은혜, 김영태 (2003). 보완대체 의사소통판에서의 핵심어휘와 상황어휘 적정 비율에 관한 연구. 언어청각장애연구, 8(2), 111-126.

김영태, 민홍기 (2003). 보완대체 의사소통도구 개발을 위한 학령기 아동 및 성인의 핵심어휘 조사. 언어청각장애연구, 8(2), 93-110.

박은혜 (1996). 보완대체 의사소통체계를 위한 기초어휘 조사: 뇌성마비 초등저학년 아동을 중심으로. 한국특수교육학회 특수교육 논총, 13(1), 91-115.

박승희 (1999). 정신지체 아동의 지역사회 기능에 필요한 기능적 어휘 목록 개발 연구. 재활복지, 3(1), 23-57.

이정은, 박은혜 (2000). 보완대체 의사소통체계를 위한 상황중심 핵심어휘 개발연구. 재활복지, 4(1), 96-121.

▶ 참고 웹사이트

1) http://aac.unl.edu

네브라스카 대학(University of Nebrasca)의 이 사이트는 AAC에 관한 매우 좋은 자료들이 있다. 도구사용 시범도구나 관련 상품 링크를 통해 특정 도구들에 대한 정보를 얻을 수 있다.

2) http://www.isaac-online.org/en/home.shtml

국제 보완대체 의사소통협회.

International Society for Augmentative and Alternative Communication(ISAAC)

3) http://www.adaptivation.com

low technology와 high technology 및 보조도구에 필요한 스위치, 상징 등의 다양한 것들이 구비 되어 있다.

4) http://www.enablebox.com/

의사소통 보조도구를 판매하는 곳으로 언어치료와 작업치료를 할 때 사용하는 low technology와 high technology의 다양한 보조도구를 볼 수 있다.

5) http://www.dougdodgen.com/

AAC에 사용되는 소프트웨어를 제공하는 웹사이트이다. 진단평가 도구에 대한 소프트웨어를 설명하고 있다.

6) http://old.kise.go.kr/data/augument/

국립특수교육원에서 제공하는 보완대체 의사소통 상징체계이다. 총 540여개의 어휘와 그림상징이 제공되며, 인쇄와 음성출력을 지원하고, 어휘는 의사소통상황을 기반으로 제시된다.

▶ 참고문헌

김정연, 박은혜 (2006a). 손짓기호체계와 그림의사소통판을 이용한 의사소통중재가 중도장애 아동의 의사소통 능력에 미치는 효과. 중복지체부자유아교육, 47(1), 265-289.

김정연, 박은혜 (2006b). 다중양식체계를 이용한 의사소통 중재가 뇌성마비 고등학생의 수업 중 의사소통행동에 미치는 영향. 특수교육학연구, 41(3), 77-99.

박은혜, Snell,M., & Allaire,J.(2004). 언어장애인을 위한 보완대체 의사소통용 어휘상징체계 수립에 관한 문헌 연구. 언어청각장애연구, 9(3), 118-138.

정해동, 김주영, 박은혜, 박숙자 (1999). 장애아동을 위한 보완 · 대체의사소통지도. 경기도: 국립특수교육원.

한경임 (1998). 중증 뇌성마비 아동의 보완대체 의사소통 중재의 효과. 대구대학교 대학원 박사학위논문.

The American Speech-Language-Hearing Association(ASHA)(2005). Roles and responsibilities of speech-language pathologists with respect to alternative communication : Position statement.

Lloyd,L.L.,Fuller,D.R., & Arvidson,H.H.(1997). *Augmentative and alternative communication* : A handbook of principles and practices. Needham Heights, MA : Allyn and Bacon

Beukleman,D.R., & Mirenda,P.(2005). *Augmentative and alternative communication : supporting children and adult with complex communication needs(3rd ed).* Baltimore : Paul H. Brookes Publishing co.

Blackstone,S.W., & Berg,M.H.(2003). *Social networks: A communication inventory for individuals with complex communication needs and their communication partners.* Monterary, CA: Augmentative Communication Inc.

Rowland,C., & Schweigert,P.D.(2003). Cognitive skill and AC. in J.C. Light D.R. Beukleman & J. Reichle,(Eds.), *Communicative competence for individuals who use AAC* (pp.241-275). Baltimore : Paul H. Brookes Publishing Co.

Rowland,C.(2004). *Communication Matrix*, Portland, OR : Oregon Health and Science university.

Wisconsin Assistive Technology Initiative(2004). WATI Assistive Technology Assessment. Retrieved from http://www.wati.org

II. 평가도구 소개

1. 대상

언어 장애인이나 특수교육 대상아동들 중에는 말로 자기의 의사 표현을 충분히 하지 못하는 경우가 많이 있다. 최근 많은 학자들이 이러한 아동들에게 과거와 같이 말 중심의 언어치료(조음 치료)만 할 것이 아니라 말 이외의 여러 가지 방법으로 의사소통을 하도록 하는 보완대체 의사소통(AAC)을 사용할 것을 제안하고 있다(Beukelman & Mirenda, 2005). 본 평가도구는 이런 경우 AAC를 사용하기 위해 필요한 사항들을 평가하기 위한 검사도구이다.

보완대체 의사소통 방법을 사용하여 도움을 받을 수 있는 경우의 예를 들면 다음과 같다.

1) 언어치료를 오래 했지만 조음 능력이 충분히 향상되지 않은 경우 (예: 심한 뇌성마비 아동)

2) 지적장애, 자폐 등 조음기관의 이상이 없지만 언어 능력의 발달이 지체된 경우

3) 교통사고, 뇌졸중 등으로 구어 표현 능력이 일부 혹은 모두 상실된 경우

4) 진행성 신경질환(예: 루게릭병)으로 언어 표현 능력이 퇴행하는 경우

5) 보완대체 의사소통은 연령에 상관없이 적용하는 방법이지만, 본 검사는 유아 및 학령기의 아동을 중심으로 개발되었다.

2. 개발 목적/의도

보완대체 의사소통 체계를 사용하기 위해서는 각 사용자에게 맞도록 개별화된 의사소통 방법을 사용해야 하기 때문에, 어떤 방법을 사용해야 하는가를 결정하기 위한 평가가 필요하다. 여기에는 언어 능력, 운동 능력, 필요한 어휘 등 여러 가지가 포함되며, 평가 결과를 활용하여 사용자에게 맞는 의사소통 방법을 개발하는 단계가 필요하다.

1) 개별화된 AAC 체계 선정을 위한 점검

본 평가도구는 선행연구에서 제시된 평가 원리와 영역을 기초로 하여, 체계적으로 필요한 사항을 평가하고 대상아동 개개인에게 알맞은 수준에서 AAC를 시작하고 활용할 수 있도록 하기 위하여 제작되었다. 각 평가 문항들을 시행하고 그 결과를 안내 지침에 따라 종합하여 현재 대상아동에게 필요한 AAC 방법에 대한 결정을 내릴 수 있도록 하기 위한 것이다.

2) 전언어기 아동에 대한 고려

AAC 의사소통 의도나 수용언어능력은 갖추고 있는데 표현언어가 부족한 아동들을 위한 일반적인 AAC 도구를 제작하는데 필요한 사항뿐 아니라, 기초적인 언어능력에 대한 내용도 포함하였다. 이는 상징사용능력이 발달되지 않은 전언어기의 아동이라 하더라도 AAC 사용 대상에서 제외하지 않는다는 최근의 연구동향을 반영한 것으로서 언어 발달이 매우 늦은 아동에게도 사용할 수 있음을 의미한다.

3) 교사와 언어치료사의 협력 촉진

본 도구의 문항 중에는 교사 혹은 언어치료사가 단독으로 하기보다는 서로 협력하여 작성하는 것이 바람직한 문항들이 포함되어 있다. 아직까지 국내에는 교사와 언어치료사의 협력이 외국처럼 활발하지는 않으나, 가능한 이러한 협력적 평가가 이루어지기를 바라면서 이러한 문항들을 포함하였다.

4) 환경 평가에 대한 내용 제외

최근의 보완대체 의사소통 평가에서는 대상 아동의 능력에 대한 평가 외에도 주변의 언어 사용을 위한 환경적 요인들을 파악하고, 필요한 경우 이러한 환경적 장애에 대한 중재도 하도록 권장하고 있다. 예를 들면 AAC 도구를 제공해 주어도 함께 의사소통할 수 있는 친구가 없다면 의사소통은 증가하지 않을 것이기 때문에, 또래 친구들과 함께 있는 시간을 만들어주어야 할 것이다. 그러나 이러한 환경 평가는 매우 광범위하기 때문에, 가능한 한 간단하게 만들고자 한 본 도구의 취지에 따라 이를 제외하였다.

3. 본 평가 도구의 활용 방법

1) 평가도구의 구성

본 평가도구는 다음과 같이 구성되어 있다.

① 배경정보

대상아동에 관한 기본 정보 (예: 이름, 장애명, 행동 특성 등)를 기록한다. 문제행동이나 특별히 좋아하거나 싫어하는 것에 대한 정보 등도 자유롭게 기록하고, 검사를 실시할 때의 아동의 태도나 상태에 대해서도 기록한다. 기존의 언어진단검사나 지능검사 등의 표준화된 검사 결과가 있으면 함께 기입한다.

② 아동 능력 평가

개별 아동에게 맞는 AAC 체계를 개발하고자 할 때 알아야 하는 아동의 능력 수준을 영역별로 평가한다. 크게 운동능력 평가, 감각능력 평가, 인지능력 평가, 언어 능력평가으로 나누어져 있다.

첫 번째로, 운동능력 평가에서는 1) 자세 및 이동능력 평가와 2) AAC 사용에 필요한 보다 세부적인 신체운동기능의 평가를 실시한다. 적합한 자세를 알아본 후에는 손가락 및 기타 신체부위를 사용한 직접 선택과 스위치 사용을 위한 스캔 능력에 대해 알아보며, 필요한 보조공학적 장비에 대해 살펴본다.

두 번째로, 감각능력 평가에서는 시각 및 청각적 능력을 평가한다. 대부분의 장애아동들이 심하지는 않더라도 시청각 기능의 결함이 있는 경우가 많고, AAC에서 사용하는 도구들이 시각적인 것이 많기 때문에, 이러한 기본적인 감각능력에 대한 정확한 정보를 파악하는 것이 중요하다.

세 번째로 인지능력 평가에서는 사물의 개념 이해 능력과 기능 이해능력, 사물과 상징의 대응 능력을 살펴봄으로써 대상아동의 기본적인 인지능력 정도를 파악한다.

네 번째로 언어 능력 평가에서는 표현언어와 수용언어로 나누어 평가한다. 표현언어의 경우에는 수긍하기, 거부하기, 요구하기 등과 같은 언어 기능별로 대상아동이 어떠한 의사소통 행동 형태를 현재 가지고 있는지 평가한다. 수용언어의 경우에는 개략적인 수준을 파악하도록 되어있다.

2) 평가시의 주의사항

① 평가 장소, 평가자의 태도, 평가 시간, 주변 환경 및 분위기 등에 따라 장애아동은 많은 영향을 받기 때문에 이러한 요소들이 진단결과에 부정적으로 영향을 주지 않도록 유의한다.

② 대상아동의 신체적, 인지적 특성에 따라 본 평가지침에서 제시한 평가 절차를 수정할 필요가 있을

수 있다. 예를 들면 때에 따라 안내지침의 지시를 단순하게 바꾸어 말하거나 양자택일 응답형식을 허용해야 할 때가 있다

③ 평가할 때의 구체적 위치는 아동의 신체기능에 따라 변경될 수 있다

④ 평가 시간을 수정할 수 있다. 예를 들면 쉽게 피로해지는 경우에는 여러 날에 걸쳐서 조금씩 하게 할 수도 있다.

⑤ 대상 아동의 특성에 따라 특별히 평가해야할 필요가 없는 문항도 있다. 예를 들어 신체능력에 이상이 없는 지적장애나 자폐아동의 경우에는 운동능력에 대한 세부적인 문항은 굳이 하지 않고 넘어가도 무방하다.

이러한 주의사항들은 결국 대상아동의 특성에 따라 융통성 있게 반응하며 가장 최상의 결과를 가져올 수 있도록 배려하고자 하는 것이다.

3) 검사 결과의 활용

본 검사 결과는 다음과 같이 활용될 수 있다.

① AAC 체계의 초기 개발을 위한 평가

처음 AAC를 적용해보려고 하면 어디에서부터 시작해야 할지를 잘 알 수 없는 경우가 많다. 본 평가도구는 이런 경우에 체계적으로 운동능력 및 언어능력 등을 체계적으로 평가하여 개별 사용자에게 맞는 초기 AAC 체계를 만들 수 있도록 제작되었다.

② AAC 사용 중 정기적인 평가를 통한 AAC 체계의 적합성 평가/보완

AAC 체계를 어느 정도 사용하다보면 처음 사용한 어휘나 상징의 종류가 바뀌어야 하는 경우가 생기기도 하고 (예: 운동능력 향상, 상징 사용능력 향상), 운동능력의 변화로 사용하는 체계를 보완해야 하는 경우가 생기기도 한다. 본 평가도구를 정기적으로 실시함으로써 이러한 변화를 파악하고 적절한 AAC 체계로 수정할 수 있다.

Ⅲ. 평가 방법

1장 | 운동능력 평가

A. 목적

운동 능력의 평가는 AAC 중재를 하기 위해 인지적인 능력이 아닌 신체 기능 면에서의 아동의 수행 수준을 밝히는 것이며, 구체적으로 AAC 도구를 사용하기 위해 필요한 조작능력을 알아보기 위한 과정이다. 운동능력을 비롯한 각 하위 검사의 주요목적은 아동의 약점과 결함부분을 알아내는 것이 아니라 AAC 적용과 관련된 아동의 강점과 세부적인 능력을 밝히는 것이다.

B. 실시요령

1. 자세 및 이동능력

평가에 필요한 도구 : 다양한 의자(소파, 팔걸이의자 등), 자세교정 쿠션(inner), 안전벨트, 피더시트(Feeder Seat), 매트, 휠체어, 침대(입원환자일 경우)

문항 1) 아동이 가장 편하게 취할 수 있는 자세는 무엇입니까?

지 시
아동에게 편안한 자세를 취하도록 한다. (아동이 검사자의 구어적 지시를 이해하지 못하면 보호자의 보고를 참고로 한다)

※**참고** : 매트 위에 눕게 한 후 다른 자세에서의 근 긴장도와 누운 자세에서의 근 긴장도를 비교해 보고 편안한 자세를 찾는다. 같은 방법으로 옆으로 누운 자세와 엎드린 자세에서의 근 긴장도를 비교해 보고 편안한 자세를 취한다.

>> 누운 자세

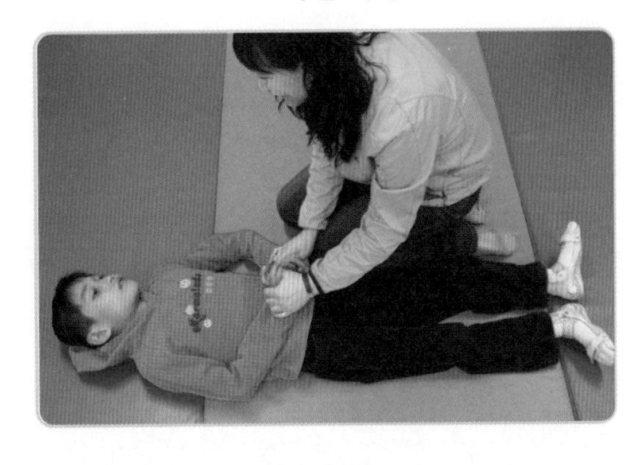

>> 옆으로 누운 자세

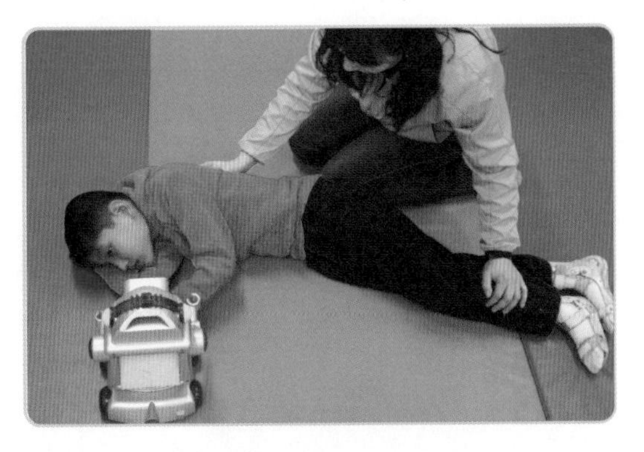

>> 엎드린 자세

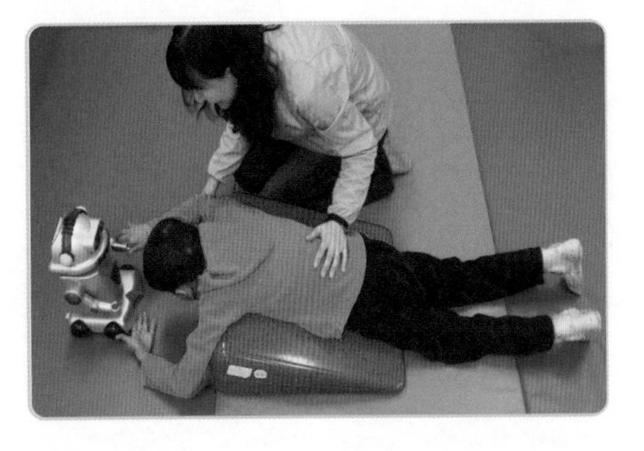

>> 서기 자세

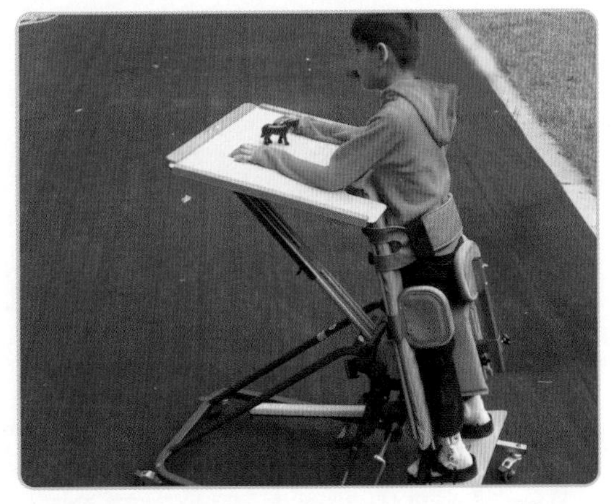

문항 2) 아동의 '앉기' 능력은 어느 정도입니까?

지 시

문항 1)에서 편안한 자세가 앉기일 때, 아동이 사용하는 의자나 휠체어가 어떤 것인지 관찰한다. 일반 의자에 앉을 수 없으면 의자에 앉을 수 있도록 하기 위해 필요한 보조도구가 무엇인지 적용해 본다.

★ 허리벨트나 쿠션 : 어깨와 몸통의 안정성을 확보하여 앉기 자세를 유지할 수 있도록 해준다.

★ 머리지지대, 목지지대 : 머리 조절이 안 되는 아동에게 사용할 수 있다.

★ 휠체어 트레이나 벨크로를 부착한 발판 : 경직성 근육톤을 가진 아동에게는 반사행동을 줄이고 효율적인 움직임이 가능하도록 한다.

>> 수동 휠체어

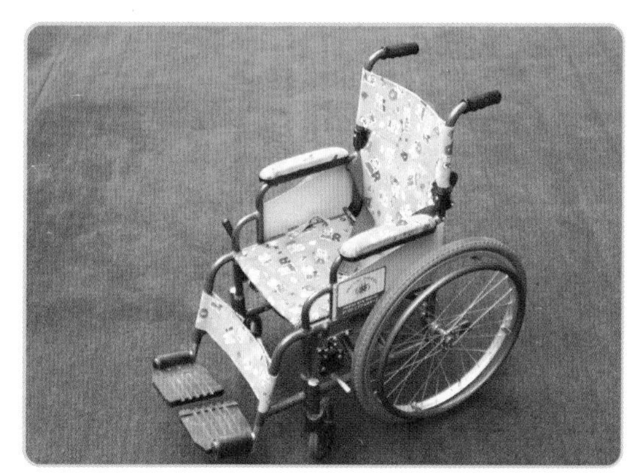

>> 전동 휠체어

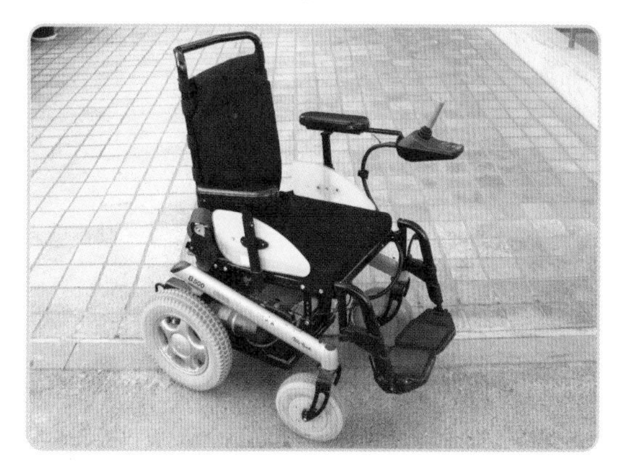

>> 피더시트

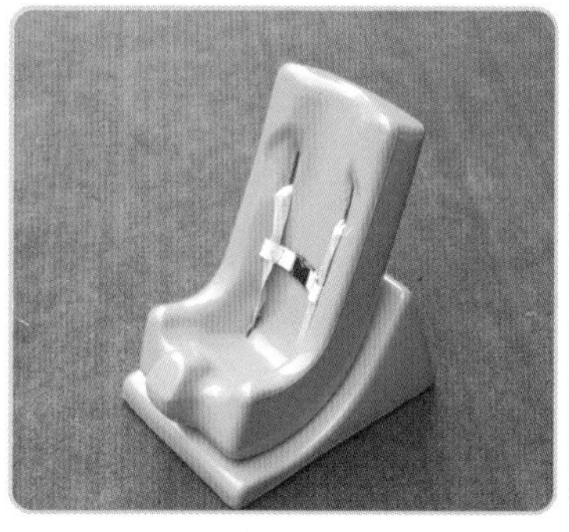

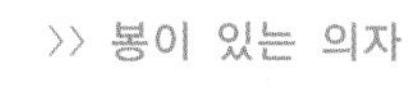

>> 봉이 있는 의자

>> 안전벨트가 있는 의자

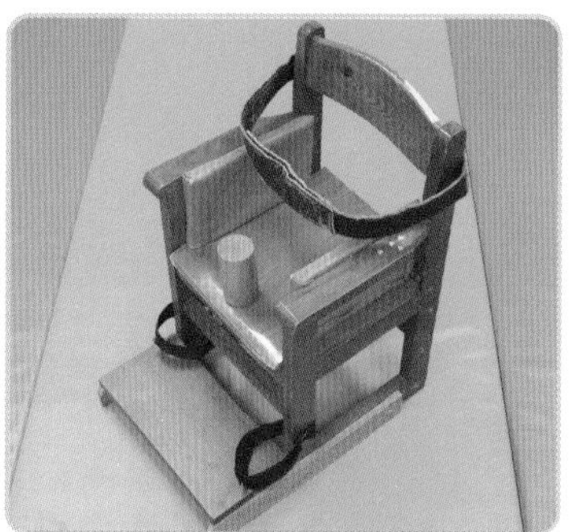

>> 자세교정 쿠션(inner)이 장착된 휠체어

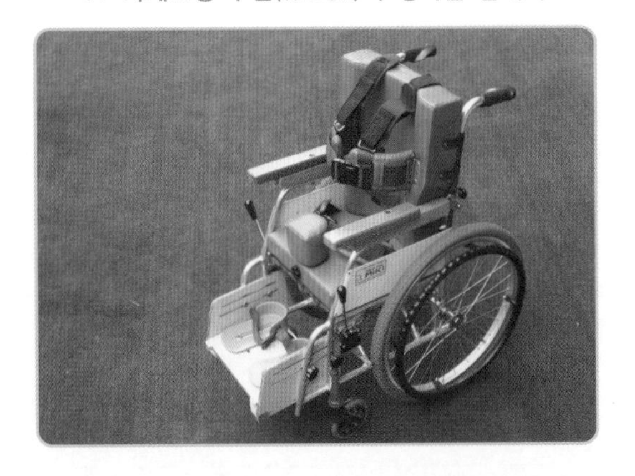

>> 허리벨트가 있는 휠체어

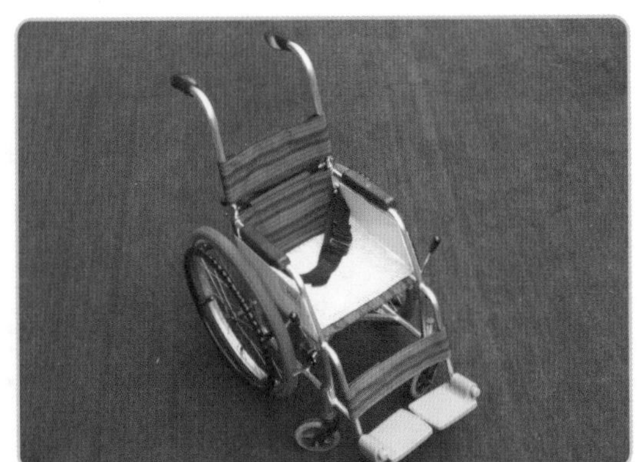

>> 머리지지대가 있는 휠체어

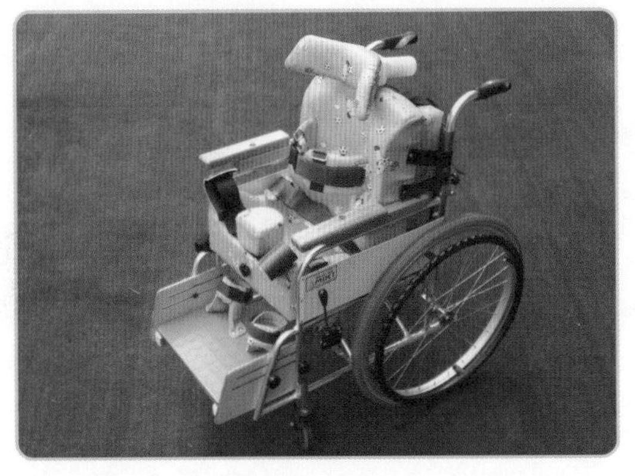

>> 트레이가 있는 휠체어

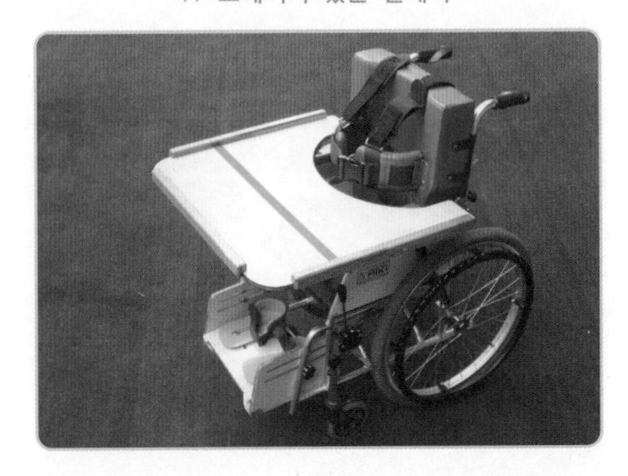

문항 3) 이동능력은 어느 정도입니까?

지 시
아동에게 검사실의 문 쪽으로 이동하라고 지시한다(아동이 검사자의 구어적 지시를 이해하지 못하면 몸짓 등을 사용하여 이동할 것을 지시해보고 아동이 검사자의 몸짓을 이해하지 못하면 보호자의 보고를 참고로 한다).

※ **참고 :** 보조자의 도움 없이 이동이 가능한지 관찰한다. 아동이 독립적으로 걷기가 불가능하면 전동 휠체어나 수동 휠체어를 이용하여 이동이 가능한지 관찰한다. 아동이 보조를 받아 걸을 때에는 워커, 보조자의 도움, 난간이나 벽 등을 짚고 걷기가 가능한지 파악한다.

>> 워커를 이용한 걷기

>> 난간을 이용한 걷기

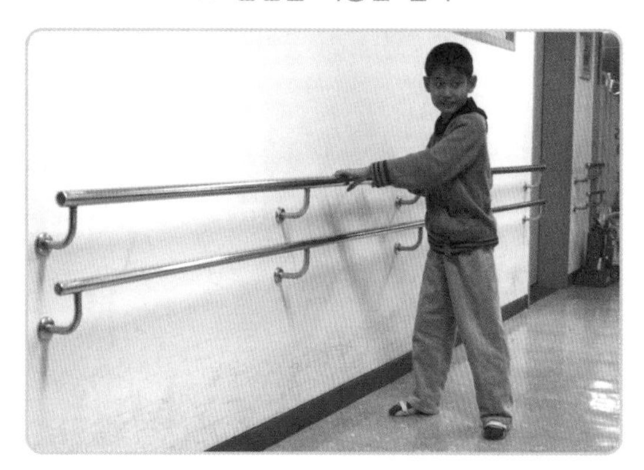

2. 신체기능

평가에 필요한 도구 : 여러 가지 생활용품이나 장난감 등

문항 1) 손 혹은 팔을 사용하여 할 수 있는 기능은 무엇입니까? (중복 표시 가능)

지 시

□ ① 의도적인 행동을 할 수 없다.

아동의 손이 닿을 수 있는 거리에 장난감을 놓고 집어보라고 지시하여 반응이 있는지를 관찰한다.

□ ② 사물을 잡으려고 손을 뻗을 수 있다.

아동의 손이 닿을 수 있는 거리에 장난감을 놓고 집어보라고 지시하여 손을 뻗치는지 관찰한다.

□ ③ 사물을 손으로 쥘 수 있다.

장난감을 손으로 쥐어보라고 지시한 후 관찰한다.

□ ④ 사물을 손으로 잡고 놓을 수 있다.

장난감을 손으로 잡았다가 다시 놓아보라고 지시한 후 관찰한다.

□ ⑤ 지적하기(또는 누르기)를 할 수 있다.

원하는 장난감이나 물건을 손으로 지적하라고 지시하거나 지적한 물건을 주고 눌러보라고 지시한 후 관찰한다.

※ **참고** : 아동의 참여를 최대화하기 위해 장난감이나 동기유발이 쉬운 다양한 물건을 사용한다.

- 만약 손사용이 불가능하다면, 처음에는 도구의 수정 없이 신체일부의 움직임의 범위와 정확성을 평가한다.
- 중도 장애인의 평가에 익숙하지 않은 팀의 구성원들은 운동조절에 관한 판단에 매우 조심스러워야 한다. 그러므로 팀은 최저의 기능성을 보이는 옵션이라도 재진단을 하여야 한다. 비정상적인 반응, 과도한 근육 긴장 상태, 비정상적 자세, 과도한 피로와 같은 상태에서는 부적절한 결과가 나타날 수 있으므로 주변의 부정적인 요소가 있는지 점검한다.

문항1-1) 1)에서 ②~⑤에 응답하였을 때 가장 쉽게 사용하는 부위는 어디입니까?

지 시
아동의 손이 닿을 수 있는 거리에 장난감을 놓고 잡거나 쥐기, 누르기 등을 할 때 주로 사용하는 손의 부위를 관찰하여 표시한다.

문항1-2) 1)에서 ①에 응답하였을 때 자발적 움직임이 가능한 신체부위는 어디입니까?

지 시

☐ 눈

눈 응시 관찰 : 여러 가지 제시된 물건 중 원하는 것을 눈으로 가리킬 수 있는지 관찰한다. 책상 위에 동전을 놓아주고 찾아보게 하거나 바라보게 하는 방법을 쉽게 사용할 수 있다. 그 밖에 눈으로 지적하기 외에 눈 깜박임으로 표현할 수 있는지도 관찰한다.

☐ 머리

머리 기능 관찰 : 원하는 것을 가리키기 위해 헤드스틱이나 헤드 포인터 등을 이용 하거나 머리 흔들기 등 머리의 사용여부를 관찰한다.

☐ 왼 팔 ☐ 오른 팔

팔, 팔꿈치 기능 관찰 : 여러 가지 제시된 물건 중 원하는 것을 팔이나 팔꿈치 등으로 가리킬 수 있는지 관찰한다.

☐ 왼 발/ 다리 ☐ 오른 발/ 다리

다리, 무릎 기능 관찰 : 신체적 손상을 가진 사람들은 직접 선택 기술에 필요한 팔다리의 미세한 운동 조절 기능이 낮으므로 아동의 발과 다리의 기능은 마지막으로 진단한다.

그 밖에 발꿈치나 발가락 등 자발적 움직임이 가능한 신체 부위를 관찰한다.

문항 2) 아동이 실물을 고를 수 있는 기능은 어느 수준입니까?

평가에 필요한 도구 : 컵, 신발, 사과, 연필 등 아동에게 적합한 실물 8가지

지 시

☐ ① **고를 수 없다.**(문항 5-2로 가십시오.)

☐ ② **실물 2개가 있을 때 고를 수 있다.**

실물 2개를 아동 앞에 제시하고 해당하는 사물의 명칭을 말하면서 골라보도록 한다.

☐ ③ **실물 4개 이하가 있을 때 고를 수 있다.**

실물 4개 이하를 아동 앞에 제시하고 해당하는 사물의 명칭을 말하면서 골라보도록 한다.

☐ ④ **실물 8개 이하가 있을 때 고를 수 있다.**

실물 8개 이하를 아동 앞에 제시하고 해당하는 사물의 명칭을 말하면서 골라보도록 한다.

☐ ⑤ **실물 9개 이상이 있을 때 고를 수 있다.**

실물 9개 이상을 아동 앞에 제시하고 해당하는 사물의 명칭을 말하면서 골라보도록 한다.

※ **참고 :** 이 문항은 인지적 변별능력 평가가 아니므로 변별하기 어려운 사물끼리 제시하지 않도록 해야 하며 단지 고를 수 있는 신체적 능력의 정도에 평가의 초점이 맞추어져야 한다.

- 사물을 고르는 신체부위는 손, 눈 응시, 머리 등 문항 1)에서 제시한 어떠한 방법으로도 가능하다. 아동이 지시를 이해하지 못할 경우 검사자가 사물의 명칭을 말하면서 고르는 것을 시범 보인다.
- 아동에게 사물을 고르게 할 때, 변별이 용이하도록 사물은 유사하지 않은 것끼리 제시 하도록 한다. 예) 연필과 색연필, 사과와 배 등 유사한 사물 배열을 피함.

>> 실물이 2개일 때

>> 실물이 4개일 때

>> 실물이 8개일 때

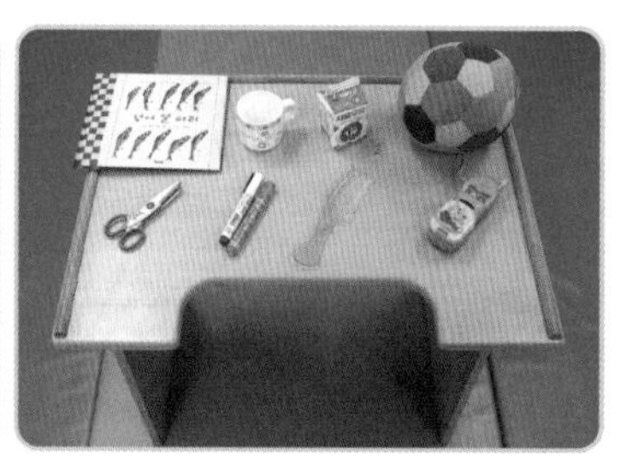

문항 3) 사물 대신 그림카드를 제시했을 때 아동이 사용할 수 있는 기능에 표시해주십시오.

평가에 필요한 도구 : 그림, 사진, 의사소통판, 의사소통책

지 시

- ☐ ① 고를 수 없다.
- ☐ ② 그림카드 2개가 있을 때 고를 수 있다.
  그림(사진) 2개를 제시하고 해당하는 그림(사진)의 명칭을 말하면서 골라보도록 한다.
- ☐ ③ 그림카드 4개 이하가 있을 때 고를 수 있다.
  그림(사진) 4개 이하를 제시하고 해당하는 그림(사진)의 명칭을 말하면서 골라보도록 한다.
- ☐ ④ 그림카드 8개 이하가 있을 때 고를 수 있다.
  그림(사진) 8개 이하를 제시하고 해당하는 그림(사진)의 명칭을 말하면서 골라보도록 한다.
- ☐ ⑤ 그림카드 9개 이상이 있을 때 고를 수 있다.
  그림(사진) 9개 이상을 제시하고 해당하는 그림(사진)의 명칭을 말하면서 골라보도록 한다.
- ☐ ⑥ 여러 주제로 범주화된 의사소통판을 사용하여 고를 수 있다.
  의사소통판을 제시하고 해당하는 그림(사진)의 명칭을 말하면서 골라보도록 한다.

※**참고** : 이 문항은 인지적 변별능력 평가가 아니므로 변별하기 어려운 그림이나 사진끼리 제시하지 않도록 하며, 단지 고를 수 있는 신체적 능력의 정도에 진단의 초점이 맞추어져야 한다.

- 아동에게 고르도록 제시되는 사물이나 그림카드는 아동이 이미 알고 있거나 주변에서 흔히 볼 수 있는 것들을 사용한다.
- 사물이 아닌 그림카드 중에서 아동이 고를 수 있는 능력을 진단할 때 그림은 실물 사진이나 단순화한 그림을 사용하고 흑백이 아닌 원색을 이용한다.
- 여러 주제로 범주화된 의사소통판을 사용할 때는 한 판에 제시된 그림의 수가 너무 많지 않도록 한다.

>> 그림카드가 2개 있을 때

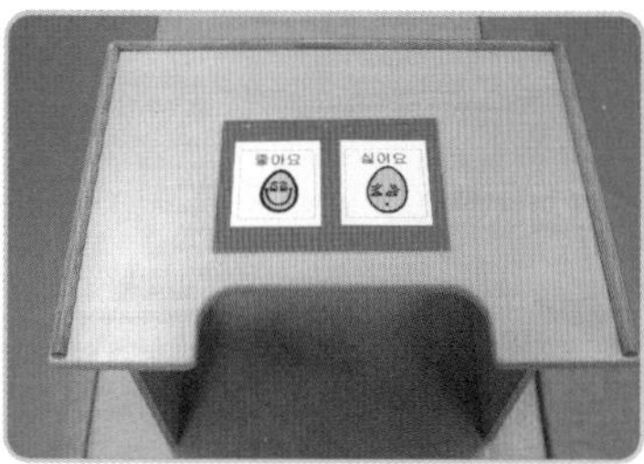

>> 그림카드가 4개 이하 있을 때

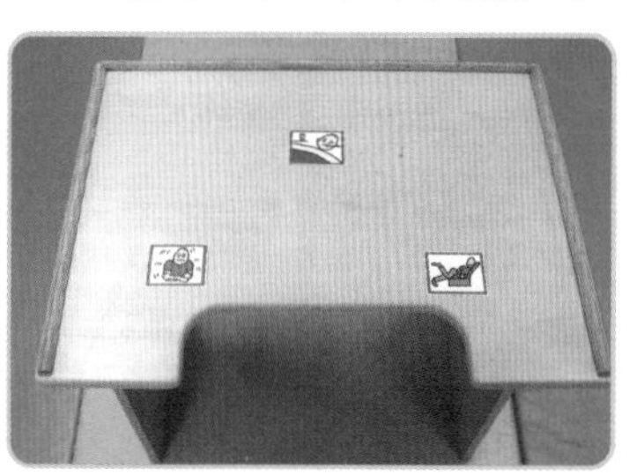

>> 그림카드가 8개이하 있을 때

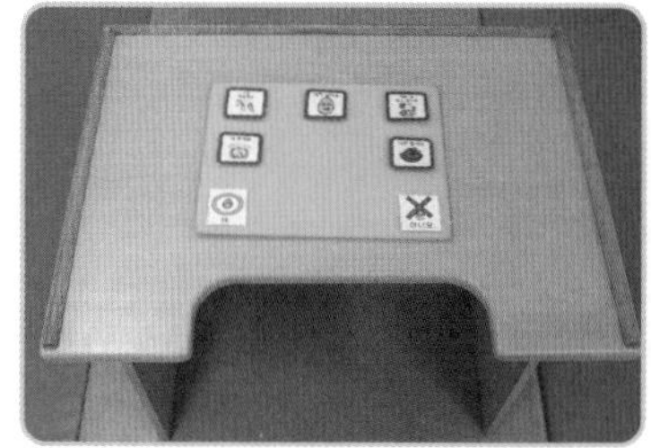

>> 그림카드가 9개이상 있을 때

>> 주제별로 범주화된 의사소통판

>> 주제별로 범주화된 의사소통책

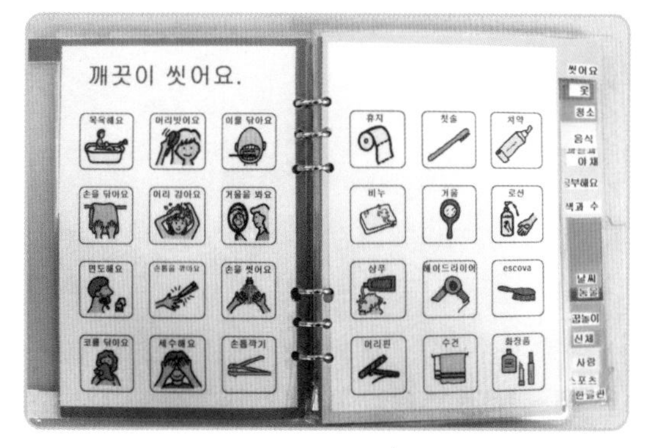

문항 4) 아동에게 적합하다고 생각되는 의사소통판의 크기에 표시해주십시오.

지 시

책상크기와 동일한 의사소통판을 보여주고 성공적으로 선택하면 8절, 16절, 엽서 크기순으로 줄여간다.

>> 4절 크기의 의사소통판

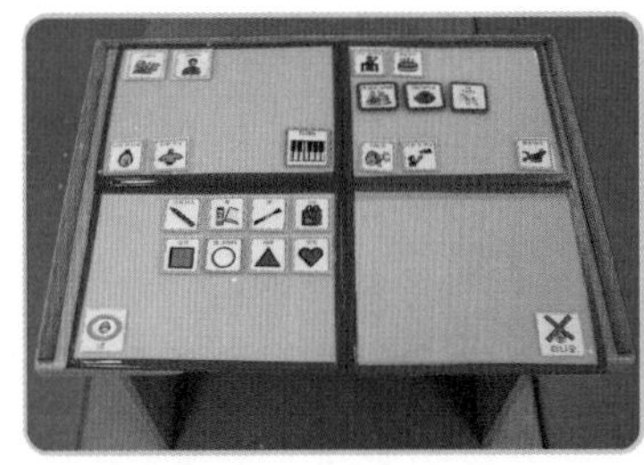

>> 8절 크기의 의사소통판

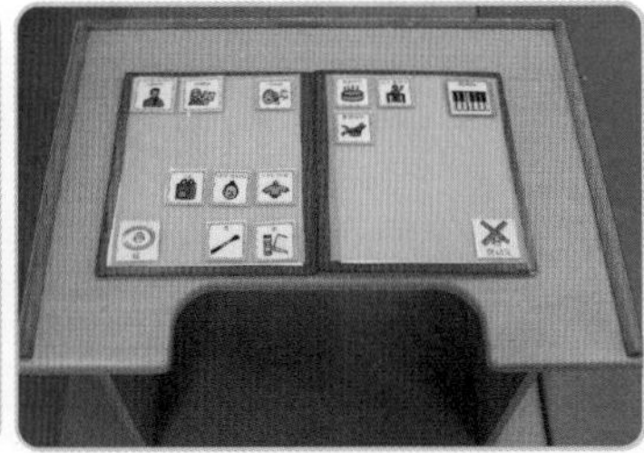

>> 16절 크기의 의사소통판

>> 엽서크기의 의사소통판

문항 5) 아동이 정확하게 고를 수 있는 가장 작은 그림, 혹은 사진 한 장의 크기는 어느 정도입니까?

지 시

그림(사진) 두 장을 제시하고 손이나 기타 신체 부위로 지적하게 하고 가장 정확하게 지적할 수 있는 최소의 그림(사진) 크기를 알아본다. 최초 제시할 그림은 10×10㎝ 이상의 크기에서 시작하여 5×5㎝, 3×3㎝ 로 줄여간다.

문항5-1) 다음 중 아동이 의사소통판을 사용할 때 좀 더 편하게 선택 할 수 있도록 해주는 것은 무엇입니까?

지 시

각각의 예는 사진 예를 참고로 하여 실시해 보고 아동에게 도움이 되는 배려사항을 찾을 수도 있으며 보호자나 정보제공자의 의견을 참고할 수 있다.

※ **참고 :** 아동에게 의사소통판을 제시할 때는 아동의 운동능력을 고려하여 각도, 거리, 배열을 바꾸어서 제시한다.

>> 가까이에서 사물 제시

>> 각도를 세워서 제시

>> 그림 사이 간격 넓게 제시

>> 그림 사이 간격 좁게 제시

>> 왼손 우세아동을 위한 배열

>> 오른손 우세아동을 위한 배열

>> 의사소통판 배열 바꾸기의 예

>> 그림카드를 세워서 제시

문항5-2) 다음 중 아동이 직접선택하기를 더 잘 할수 있도록 하기 위해 사용하는 보조공학적 장비는 무엇입니까?

지 시
아동이 사용하고 있는 보조공학적 장비는 보호자나 정보제공자의 의견을 참고할 수 있다.

※ **참고** : 아동의 직접 선택하기를 더 쉽게 하기 위해 여러 가지 보조공학적 장비가 필요한 지 진단한다.

>> 키가드

>> 헤드포인터 & 헤드스틱

>> 포인터, 핸드그립

>> 마우스스틱

>> 스위치

>> 발 마우스

>> 음성출력기구(칩톡)

>> 음성출력기구(칩톡)

>> 키즈보이스

문항5-3) 아동이 사용해 본 일이 있거나 사용하고 있는 스위치가 있다면 써주십시오.
[예 : 젤리빈, 조이스틱 등]

>> 젤리빈

>> 조이스틱

문항 6) 여러 항목(사물, 사진, 그림)이 배열된 것을 보고 스캐닝 할 수 있는 능력은 어느 정도입니까?

진단에 필요한 도구 : 여러 가지 사물, 사진, 그림카드, 초시계 등

지 시 : 문항 6)을 실시하면서 문항 7)의 스캐닝 시간을 동시에 측정하도록 한다.

☐ ① 스캐닝 하지 못한다.

☐ ② 2개 항목 중에서 스캐닝 할 수 있다.

아동에게 2가지 항목을 제시하고 한 가지씩 검사자가 짚으면서 읽어주고 아동이 자신이 원하는 항목에 반응할 수 있는지 체크한다.

☐ ③ 4개 항목 중에서 스캐닝 할 수 있다.

아동에게 4가지 항목을 제시하고 한 가지씩 검사자가 짚으면서 읽어주고 아동이 자신이 원하는 항목에 반응할 수 있는지 체크한다.

☐ ④ 8개 항목 중에서 스캐닝 할 수 있다.

아동에게 8가지 항목을 제시하고 한 가지씩 검사자가 짚으면서 읽어주고 아동이 자신이 원하는 항목에 반응할 수 있는지 체크한다.

문항 7) 배열된 것을 스캐닝 할 때 필요한 시간은 어느 정도입니까?

지 시

문항 6)의 스캐닝을 실시하며 아동이 반응하기까지 걸린 시간을 측정한다.

※**참고** : 시각적 또는 청각적 스캐닝 방법을 사용할 수 있다. 청각적 스캐닝이란 교사나 다른 대화상대자가 의사소통판의 내용을 천천히 말해주면 원하는 항목이 나왔을 때 정해진 신호를 통해 선택하는 것을 말한다. 시각적 스캐닝의 경우에는 의사소통 도구에서 불빛이 정해진 순서대로 천천히 이동하면서 사용자가 원하는 항목에 불빛이 왔을 때 스위치를 눌러 선택하는 방법을 예로 들 수 있다. 스캐닝의 이동 순서에 따라 시계방향으로 제시해주는 원형 스캐닝 방법과 한 줄씩 제시해주는 선형 스캐닝 방법이 있다. 음성출력 의사소통 도구의 경우 스캐닝 모드가 지원되는 것도 있고 그렇지 않은 것도 있다.

>> 원형 스캐닝

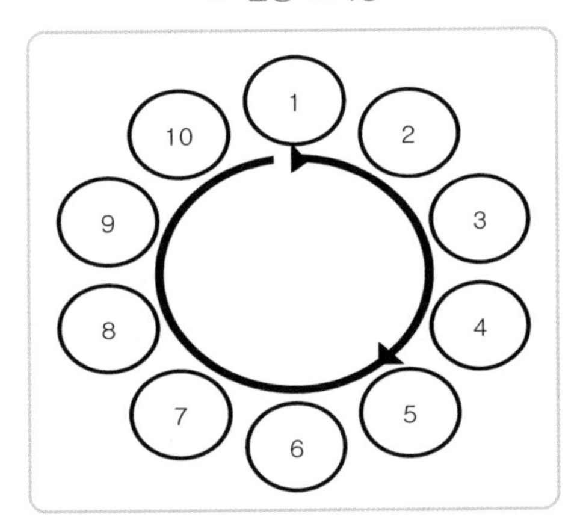

>> 선형 스캐닝

1	2	3	4	5
6	7	8	9	10
11	12	13	14	15
16	17	18	19	20

2장 | 감각능력 평가

A. 목적

본 장은 아동이 AAC를 사용하기 위해서 기초가 되는 시각 및 청각 능력에 대한 기본적인 평가를 하는 장이다. 시각이나 청각 능력에서 문제가 보인다면 아동이 선택해야 하는 AAC 도구는 제한적이며 좀 더 많은 고려사항이 따른다. 만약 시각이나 청각능력에 대해 문제가 보이지 않는다면 인지능력 평가로 바로 갈 수 있다.

B. 실시요령

1. 시각 기술

문항 1) 아동의 시력은 어느 수준입니까?

지 시
아동의 시력에 대해 보호자의 보고, 배경정보를 활용 참고한다.

문항 2) 아동이 사물을 가장 쉽게 볼 수 있는 방법은 어떤 것입니까?

진단에 필요한 도구 : 일반 책상, 경사면 책상, 휠체어 마운팅

지 시
아동에게 사물이나 그림을 바라보도록 지시한다.

※참고 : 아동이 고정된 사물에 시선을 집중할 수 있는지 관찰한 후 시선 고정이 어렵다면 경사면, 혹은 마운팅을 사용하여 제시한다. 아동이 사물에 시선을 고정시킬 수 있다면 거리가 어느 정도까지 가능한지 평가한다.

>> 사물을 경사면에 제시

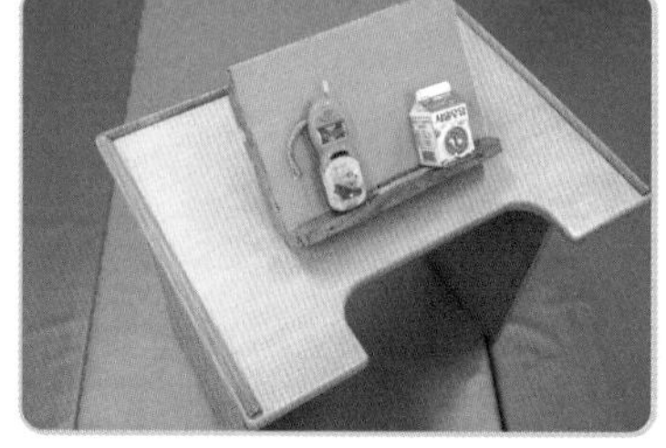

>> 일반책상 위의 사물

>> 휠체어에 마운팅한 그림

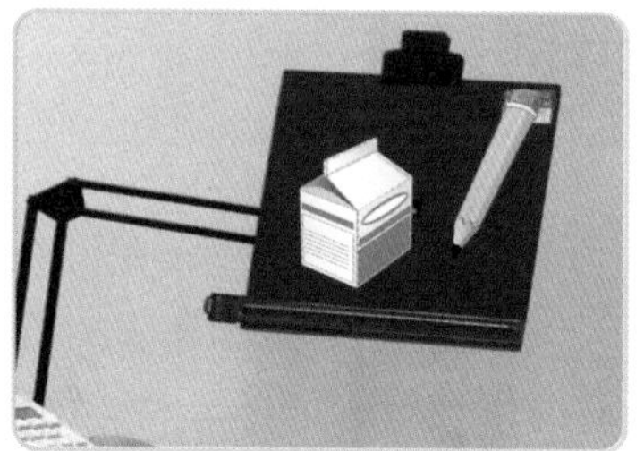

문항 3) 사물, 사진, 그림 등에 시선을 고정할 수 있는 능력은 어느 정도입니까?

지 시

- ☐ ① 고정하지 못한다.
- ☐ ② 30㎝ 미만의 거리에 있는 대상에 고정할 수 있다.
  실물이나 그림을 30cm 거리에서 제시하고 시선을 고정할 수 있는지 관찰한다.
- ☐ ③ 30~60㎝의 거리에 있는 대상에 고정할 수 있다.
  실물이나 그림을 30-60cm 거리에서 제시하고 시선을 고정할 수 있는지 관찰한다.
- ☐ ④ 60㎝ 이상의 거리에 있는 대상에 고정할 수 있다.
  실물이나 그림을 60cm 이상 떨어진 거리에서 제시하고 시선을 고정할 수 있는지 관찰한다.

2. 청각 기술

평가에 필요한 도구 : 여러 가지 소리가 나는 도구(손잡이 달린 벨, 호루라기, 장난감 심벌즈)

문항 1) 아동의 청력은 어느 수준입니까?

지 시

☐ ① 청력 결손으로 의사소통을 시각적 정보에 의존한다.

☐ ② 큰 목소리로 해야 들을 수 있다.

소리 나는 도구를 가지고 아동이 보지 않을 때 소리를 내보고 아동의 반응에 변화가 생기는지, 소리 나는 쪽으로 신체 방향을 움직이려 하는지 관찰한다. 아동이 소리 나는 것을 인식하고 있음을 확인한 후에는 목소리를 듣는지 알아본다.

☐ ③ 1m 정도 거리에서의 일상적인 대화소리를 들을 수 있다.

큰 목소리를 듣는 것으로 확인되면 1m 정도의 거리에서 일상적인 대화소리를 들을 수 있는지 파악한다.

☐ ④ 정상 범위의 청력이다(먼 곳의 소리나 작은 소리도 잘 듣는다).

일상적 대화소리 듣기에서 성공하면 먼 곳의 소리나 작은 소리도 잘 들을 수 있는지 관찰해 본다.

문항 2) 특별히 좋아하거나 집중하여 들을 수 있는 소리가 있습니까? 있다면 어떤 소리입니까?

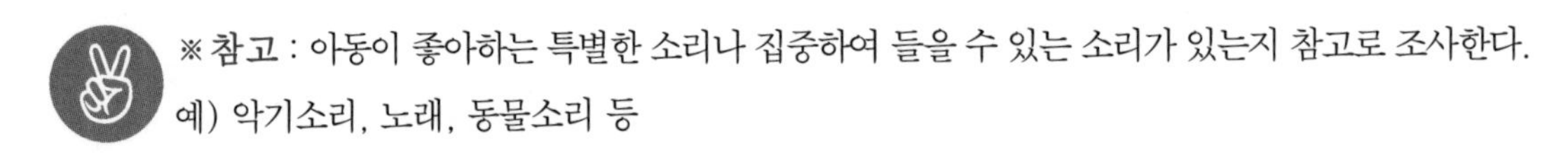

※ 참고 : 아동이 좋아하는 특별한 소리나 집중하여 들을 수 있는 소리가 있는지 참고로 조사한다.
예) 악기소리, 노래, 동물소리 등

3장 | 인지능력 평가

A. 목적

인지능력 평가에서는 AAC적용과 관련된 기본 인지 능력으로 사물 영속성, 부분과 전체 개념 이해,

범주화 능력을 알아본다. 더불어 사물의 기능에 대한 이해 및 사물과 적절한 상징의 대응 관계를 파악하는 일도 중요하다.

B. 실시요령

1. 기초인지 능력

문항 1) 사물이 현재 눈앞에 잠시 보이지 않아도 완전히 사라진 것이 아니라는 것을 인식할 수 있습니까?

평가에 필요한 도구 : 천, 과자, 음료수 등

지 시
아동이 좋아하는 과자나 음료수를 보여주고 천으로 덮어서 보이지 않게 한다.

※ **참고** : 사물과 관련된 기초적 인지능력을 진단하기 위해 사물의 영속성을 이해하고 있는지, 부분과 전체의 개념을 이해하는지, 사물이 속한 집합을 이해하는지 진단하기 위한 문항이다.

문항 2) 전체 사물에서 분리된 한 부분을 보고 원래의 사물이 무엇인지를 찾을 수 있습니까?

평가에 필요한 도구 : 손잡이가 없는 포크, 포크 손잡이, 바퀴가 없는 장난감 자동차

지 시
손잡이가 없는 포크의 앞부분을 보여주고, 포크 손잡이와 바퀴가 없는 장난감 자동차를 제시하면서 어느 사물의 부분인지 고르게 한다. 아동이 반응한 것에 표시한다.

*유의사항 : 신체적 제약으로 조작이 불가능하면 수정된 반응으로 대체한다.
예) ① 아동의 눈응시가 가능하다면 눈응시를 반응으로 표시한다.
② 질문자가 질문 후 물건을 하나 씩 보여 주며 구어로 스캐닝 한다. 스캐닝에 대한 반응 양식은 발성(정확한 발화가 아니라도 좋음), 미소 짓기, 손이나 팔, 발 움직이기 등이 있다.

문항 3) 사물이 속해있는 집합의 특성을 파악할 수 있습니까?

평가에 필요한 도구 : 과자, 빵, 색연필

지 시
과자, 빵, 과일, 색연필을 보여주고 다른 종류의 물건이 무엇인지 하나를 고르게 한 뒤 고른 물건에 표시한다. 문항 1)의 참고사항을 참고한다.

※ **참고** : 평가에 필요한 자료는 다양하게 변화시켜도 좋지만 아동이 가진 사물의 개념을 파악하기 위해 사물들 중 다른 하나의 사물은 명확히 차이가 나는 것으로 선택하여 제시한다.

2. 사물의 기능이해 및 상징이해 능력

문항 1) 일상생활에 사용하는 사물의 기능을 이해할 수 있습니까?

평가에 필요한 도구 : 빗, 시계, 숟가락

지 시
아동에게 빗, 시계, 숟가락의 세 가지 물건을 제시하고 기능을 이해하고 있는지 물어 본 뒤 반응을 표시한다.

※ **참고** : 아동의 언어 능력에 대한 진단 부분이 아니기 때문에 대상자의 수용언어 능력을 감안하여 검사자가 질문을 할 때 약간의 몸짓을 보여주어도 무방하다.
예) "밥 먹을 때 무엇으로 먹나요?" 라고 말하면서 손짓으로 밥 먹는 흉내를 낸다.

문항 2) 아동이 실제 사물과 그에 해당하는 상징을 적절하게 연관 지을 수 있습니까?

평가에 필요한 도구 : – 실물 : 컵, 신발, 요구르트
– 상징 : 가) 실물 상징으로 사용할 빈 컵, 신발 한 짝, 빈 요구르트 병
나) 각 실물에 해당되는 사진
다) 〃 그림
라) 〃 선화
마) 〃 낱말카드

지 시 : 아동이 실제 사물과 그에 해당하는 상징을 적절하게 연관 지을 수 있는지를 보고 반응을 표시한 후 진단결과를 체크한다.

☐ ① 아무런 반응을 보이지 않는다.

☐ ② 실제 사물과 실물 상징을 연결 할 수 있다.
빈 요구르트 병(실물 상징)을 제시하고 컵, 신발, 요구르트 중에서 똑같은 것을 고르라고 지시한다.

☐ ③ 실제 사물과 실물 상징 및, 그림, 사진, 선화를 연결할 수 있다.
②에서 성공하면 컵 사진, 그림, 선화를 보여주고 실물을 고르라고 한다. 세 가지 중 어느 하나에서 성공하면 ☐ 에 표시한다.

☐ ④ 실제 사물과 가)에서 마)까지의 모든 상징을 연결 할 수 있다.
③에서 성공하면 '요구르트' 라고 쓴 낱말카드를 보여주고 실물 중에서 고르라고 한다.

※참고 • **실물과 실물의 대응 :** 두가지의 실물을 책상 위에 놓아 주고 그 중에 하나와 같은 실물을 보여주면서 찾아보게 한다.

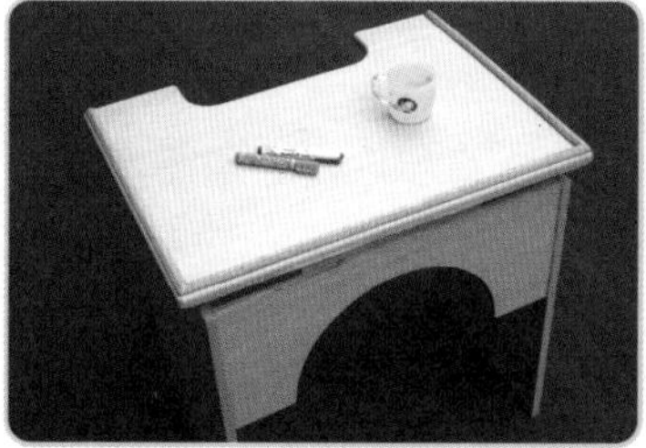

• **실물과 사진의 대응 :** 두 가지의 실물을 책상 위에 놓고 그 중 하나의 실물에 대한 사진을 제시하면서

해당되는 실물을 찾도록 한다. 사진은 카메라로 찍은 사진, 카탈로그, 잡지, 쿠폰, 상표, 광고지에서 오린 컬러/흑백 사진을 사용할 수 있다. 선화나 사진 같은 그림들은 아동들의 첫 번째 그림 의사소통 형태가 된다. 그러나 그림을 이해하기 위해서는 어느 정도의 인지능력을 필요로 하기 때문에 인지능력이 낮은 아동들의 경우에는 그림을 이해하지 못할 수도 있다. 또한 사진보다 선화를 이해하기 더욱 어려울 수 있으므로 사진으로 먼저 평가한다.

>> 사진의 예

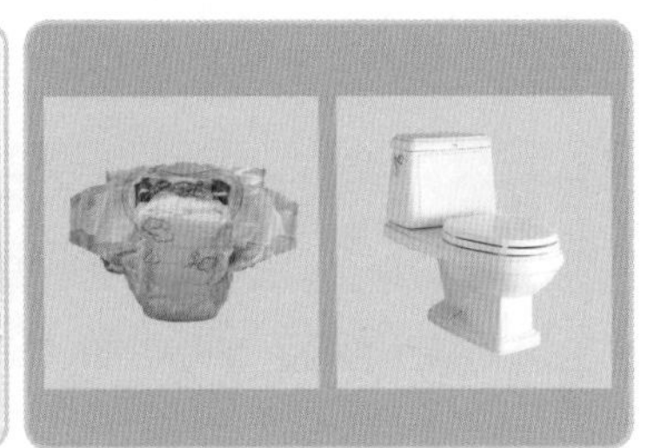

- **실물과 그림의 대응** : 두 가지의 실물을 책상 위에 놓고 그 중 하나의 실물에 대한 그림을 제시하여 해당되는 실물을 찾아보게 한다. 그림은 직접 그리거나 컬러/흑백으로 된 그림 자료를 사용할 수 있다. 처음 결정된 사진이나 그림 세트는 지시나 요구사항이 거의 없이 정확하고, 효율적이며, 피로감 없이 의사소통을 가능하게 하는 것이어야 한다.

>> 그림의 예

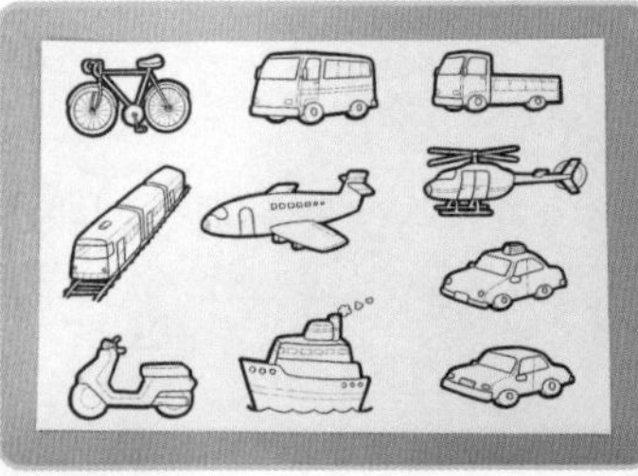

- **실물과 선화(예: PCS)의 대응** : 두 가지의 실물을 책상 위에 놓고 그 중 하나의 실물에 대한 선화를 제시하면서 해당하는 실물을 찾게 한다. 선화는 그림 안에 낱말이 쓰여 있는 것과 없는 것을 모두 사용할 수 있다.

  예) 보드메이커(Boardmaker) 프로그램은 3,000개의 선화로 구성된 PCS로 구성되어 있으며 편집과 출력이 가능한 비교적 널리 사용되는 체계이다. 이 프로그램은 매킨토시와 윈도우에서 모두 사용가능하며 컬러나 흑백 선택이 가능하고, 한글윈도우에서 사용하면 한글을 추가할 수 있다.

>> 선화의 예

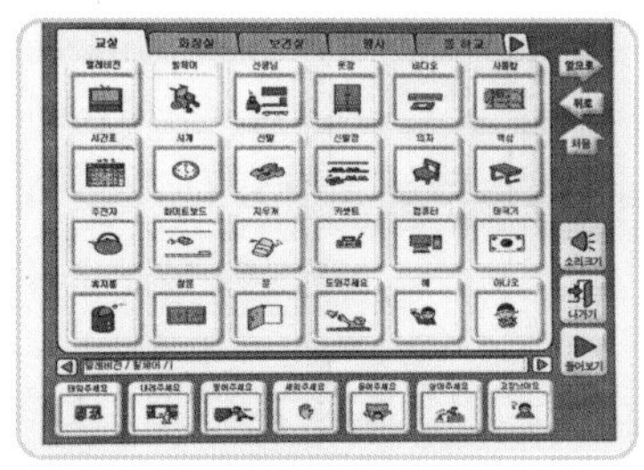

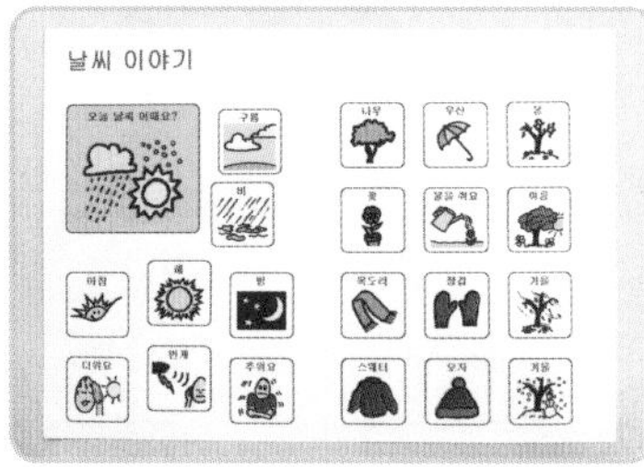

>> 낱말카드의 예

- **실물과 낱말카드의 대응 :** 두 가지 실물을 책상 위에 놓고 그 중 하나의 실물에 대한 낱말카드를 제시하면서 찾아보게 한다.

4장 | 언어능력 평가

A. 목적

본 장에서는 아동이 AAC를 사용하기 위해 기초가 되는 언어 및 의사소통 능력을 평가한다. AAC 상징을 이해하고 사용하기 위해서는 아동에게 맞는 반응형태와 어휘의 선택이 중요하기 때문에 아동의 표현 언어와 수용 언어에 대한 이해능력, 의사소통 욕구, 모방능력, 이해하는 낱말, 그리고 소리나 몸짓, 또는 기존의 AAC 도구를 통해 표현하는 낱말 등에 대한 정보가 필요하다.

B. 실시 요령

1. 표현 언어

아동의 표현방법이 각 의사소통 기능별로 어떤 차이를 가지고 있는지를 알아보고자 하는 문항이므로 중복되는 표현방법을 사용하고 있더라도 모두 기록해야 한다. 평가장소에 적절한 도구가 없을 때에는 보호자나 다른 정보제공자의 정보를 참조한다.

문항 1) **수긍하기** : 아동이 대화 상대자의 질문에 "예", 혹은 "좋아요" 등으로 수긍할 때 사용하는 표현 방법이 있습니까?

평가에 필요한 도구 : 아동이 좋아하는 장난감

지 시

아동이 "좋아요" 라고 대답할 만한 실물을 보여주며 "이거 줄까?"라고 물어본다.

질문 후 아동이 보이는 반응을 관찰하여 표시한다. 해당 사항에 모두 표시 할 수 있다(중복 표시 가능).

문항 2) **부정하기, 거부하기** : 장난감이나 음식을 거부하거나 어떤 행동을 하고 싶지 않을 때 표현하는 방법이 있습니까?

지 시

아동이 싫어할 만한 사물 등을 진단현장에서 구하기 어려울 때 보호자나 다른 정보제공자의 정보를 참고한다.

문항 3) **물건 요구하기** : 아동이 물건을 요구할 때 표현하는 방법이 있습니까?

평가에 필요한 도구 : 아동이 좋아하는 장난감, 과자, 투명하고 깨지지 않는 용기

지 시

검사자는 아동이 좋아하는 과자를 투명하고 깨지지 않는 용기에 넣어 아동의 관심을 끌도록 한 후, 아동이 과자를 달라고 할 때의 의사소통 표현 행동을 관찰하여 표시한다(중복 표시 가능).

※ 참고 : **부적절한 반응을 한다(울기, 때리기, 소리 지르기) :** 이런 아동은 욕구는 있으나 적절하게 표현하는 수단이 부족할 수도 있다. 그러므로 울거나 때리거나 소리 지르는 부적절한 행동을 좀 더 적절한 행동(예: 교사의 손이나 옷 당기기 등)으로 바꾸는 연습이 필요하다. 때로 이런 행동이 너무 심한 경우에는 바로 AAC훈련을 통해 의사소통을 경험하게 할 수 있다.

문항 4) **행동 요구하기** : 하고 싶은 활동이 있을 경우(예를 들어 "밖으로 나가고 싶어요.", "그네 타고 싶어요." 등) 표현하는 방법이 있습니까?

지 시
보호자 보고를 참고한다.

문항 5) **기분, 감정 표현하기** : 속옷이 젖거나 배가 고플 경우와 같이 불편한 감정이나 기분을 표현하는 방법이 있습니까?

지 시
보호자 보고를 참고한다.

문항 6) **고르기** : 물건이나 음식, 행동을 선택할 수 있는 상황에서 아동이 자신의 의사선택을 표현할 수 있습니까?

평가에 필요한 도구 : 아동이 좋아하는 물건, 음식과 좋아하지 않는 물건, 음식 2-3가지

지 시
'물건요구하기'와 '행동요구하기' 항목에서 실시되는 검사방법과 유사하며, 아동이 여러 가지 물건이나 활동 중에서 좋아하는 것을 고를 수 있는지 관찰한다.

문항 7) **부르기, 주의 끌기** : 상대방의 관심이나 주의를 끌기 위해 사용하는 방법이 있습니까?

지 시
검사자가 아동을 의도적으로 1~2 분간 보지 않고 다른 일을 하는 동안 아동의 반응을 관찰한다(실시가 어려우면 보호자 보고를 참고한다).

문항 8) **인사하기** : "고맙습니다", "감사합니다", "미안합니다" 등의 사회적 의사소통을 위해 사용하는 방법이 있습니까?

평가에 필요한 도구 : 아동이 좋아하는 물건, 음식

지 시
검사 시작과 끝에 인사를 하고 아동의 인사하는 행동을 관찰해 둔다. 검사도중 좋아하는 물건을 받았을 때 아동에게 "고맙습니다."하고 따라하도록 지시해본다(실시가 어려우면 보호자 정보를 참고한다).

문항 9) **질문하기(정보요구하기)** : 질문을 하고자 할 때 사용하는 표현 방법이 있습니까?

평가에 필요한 도구 : 아동에게 익숙하지 않거나 호기심을 자극할 수 있는 물건

지 시
아동이 실문을 할 만한 익숙하지 않은 물건을 제시한 후 반응행동을 관찰한다. 예를 들어 "이것이 무엇이에요?", "이것은 어떻게 해야 하나요?" 등을 표현할 때 사용하는 방법을 알아본다.

문항 10) **설명하기** : 어떤 상황이 주어졌을 경우 자발적으로 "예뻐요", "더워요" 등 자신의 의견을 표현하고 설명하는 방법이 있습니까?

평가에 필요한 도구 : 문항 9)에서 제시한 물건

지 시
아동에게 문항 9)에서 실시한 질문에 대한 대답을 한 후, "너는 이것을 어떻게 생각하니?"하고 물어본다. 혹은 "오늘 날씨가 어떠니?" 등의 의견을 물어본다.

2. 수용 언어

수용언어 영역은 아동이 이해하고 있는 어휘의 수준을 진단하려는 목적을 가지고 있다. 정확한 수용언어 어휘수준은 그림어휘력검사(김영태 외, 1995)나 SELSI(김영태 외, 2003)와 같은 평가도구를 사용할 수 있으나, 여기에서는 AEPS(Assessment, evaluation and programming system for infants and children, 영유아를 위한 사정, 평가 및 프로그램 체계, 2008)의 영역별 사용어휘를 기준으로 예시를 제시하였다.

문항 1) **일상 생활 어휘의 이해** : 아동의 명사에 대한 이해의 수준은 어느 정도에 해당한다고 생각하십니까?

※**참고** : 일상생활에서 자주 쓰는 어휘를 이해할 수 있다.

예 시
- 공, 모자, 컵, 차, 개 등 아동의 일상 활동과 관련 있는 이름 - 신체부위 이름 - 아빠, 엄마, 가족 이름 - 음식 이름

문항 2) **지시어에 대한 이해** : 아동의 동작지시어(앉아라, 선생님 보아라, 가방 열어라 등)에 대한 이해의 수준은 어느 정도에 해당한다고 생각하십니까?

※**참고** : 신변처리와 관련된 기초 어휘를 이해할 수 있다.

예 시
먹어, 입어, 벗어, 씻어, 봐, 잡아 (손, 숟가락 등), 걸어, 앉아, 서, 그려, 기다려, 가져와 (물건 이름), 쌓아 (블럭 쌓기), 돌려(병뚜껑), 맞춰 (퍼즐 조각 맞추기)

문항 3) **상태 묘사/수식어에 대한 이해** : 아동의 수식어나 상태묘사 어휘(좋아요, 차가워요 등)에 대한 이해의 수준은 어느 정도에 해당한다고 생각하십니까?

※ **참고** : 기초적인 수식어나 상태묘사 어휘를 이해할 수 있다.

예 시
– 질적 개념 : 좋다, 싫다, 맛있다, 빠르다, 크다, 작다, 길다, 뚱뚱하다, 덥다, 춥다, 뜨겁다, 차갑다, 더럽다, 깨끗하다, 조용하다, 시끄럽다.
– 양적 개념 : 있다, 없다, 많다, 적다, 비어있다, 더 많다.

문항 4) **학습 및 기타 활동과 관련된 어휘에 대한 이해** : 각 교과 내용과 관련한 설명이나 질문에 대한 이해의 수준은 어느 정도에 해당한다고 생각하십니까?

※ **참고** : 색, 숫자, 도형, 크기와 같은 기초학습어휘를 이해할 수 있다.

예 시
– 색깔 (빨강, 노랑, 파랑, 하양, 검정, 초록 등)
– 숫자 (1–10까지의 수)
– 도형 (동그라미, 세모, 네모, 별 등)
– 크기 (크다, 작다, 더 크다, 더 작다 등)

Ⅳ. 평가결과 처리 및 사례

평가 검사를 실시한 후 검사 결과를 어떻게 처리하며 해석할 것인가를 사례를 들어 설명하기로 한다. 평가결과의 기록은 이 장에 예시된 기록용지에 기재하며 기록방법은 아래와 같다.

1. 평가결과의 기록

파라다이스 보완대체의사소통 기초능력 평가(PAA)의 평가 결과보고 및 기록 방법은 다음과 같이 4가지 영역으로 정리한다.

1) 운동능력 평가 : 자세 및 이동능력 평가에 대한 1)-3)의 문항 중 해당하는 항목을 기재한다. 신체 기능 평가에 대한 문항 중 아동이 할 수 있는 기능과 신체의 부위를 기재한 후 문항 1)-7)에 응답한 내용을 기재한다. 기타 배려할 사항이나 필요한 보조공학적 장비가 있으면 기재한다.

2) 감각능력 평가 : 시각기술에 대한 1)-3)의 문항 중 해당하는 항목을 기재한다. 청각기술에 대한 1)-2)의 문항 중 해당하는 항목을 기재한다.

3) 인지능력 평가 : 기초인지능력, 사물의 기능이해, 상징 대응 능력의 결과를 기재한다.

4) 언어능력 평가 : 표현 언어 능력은 각각의 항목에서 표현방법의 유무에 대해 "○"로 표시 한 뒤 구체적으로 사용하는 방법을 기재한다. 수용 언어 능력은 언어의 이해수준을 기재한다.

2. 평가결과의 해석

평가결과는 크게 면담자료, 평가결과, 관찰자료 및 반응내용에 대해 세 가지 영역으로 나누어 해석할 수 있다. 먼저 면담자료를 통해 면담 도중 수집된 정보를 바탕으로 AAC 중재에 고려해야 할 사항들을 유추해낼 수 있다. 평가결과에 의한 해석에서는 평가결과 나타난 아동의 능력을 바탕으로 AAC 중재의 각 단계의 수준을 결정하게 된다. 그 밖에 평가 과정에서의 관찰자료 및 반응내용은 평가결과에서는 명확하게 나타나지는 않으나 아동의 발달에 영향을 미칠 수 있는 요인을 분석하고 아동의 강점을 찾을 수 있는 단서를 제시할 수 있다.

3. 평가 및 중재 사례

사례에 제시되어 있는 대상자 4명은 모두 특수학교에 재학 중인 아동들로 AAC 평가결과와 관련하여 AAC 교육 중재 방안을 제시하고자 하였다. 이는 대상아동의 특성과 관련한 평가 결과에 따라 AAC 중재를 시작하는데 지침이 될 것이다. 사례 A와 B에 대해서는 상세한 중재 방법을 제안하였으며 중재 실시에 도움이 되는 설명을 추가 하였다. 사례 C와 D의 경우는 평가결과에 대한 내용을 간략히 제시하였다.

1) 사례 A : 김영욱(가명)

파라다이스 보완대체 의사소통 기초능력 평가 결과보고서

대상아동	김영욱(남)	생년월일	1996년 3월 10일 (만 11세 5개월)
평가자	김 ○ ○	평가일자	2007년 8월 15일
기타사항	복지시설에 거주		

① 운동능력 평가		
		요 약
자세 및 이동능력	1) 가장 편한 자세	자세교정용 쿠션(inner)이 장착된 휠체어에 앉기
	2) 앉기 능력	휠체어를 이용하여 앉음
	3) 이동 능력	보조자 없이 이동이 어려움
신체기능	1) 손(팔)의 기능	의도적인 행동을 할 수 없음-자발적인 움직임이 가능한 것은 눈응시하기임
	2) 사물 선택 기능	사물 4개 이하일 때 고를 수 있음
	3) 그림 선택 기능	그림카드 4개 이하일 때 고를 수 있음
	4) 그림 의사소통판의 크기	책상크기
	5) 그림(사진)의 크기	10X10cm 크기
	5-1) 기타 배려 사항	판의 각도를 세워 제시하기
	5-2) 필요한 보조공학적 장비	없음
	5-3) 사용가능한 스위치	없음
	6) 스캐닝 기능	하지 못함
	7) 스캐닝 시 필요한 시간	하지 못함

② 감각능력 평가		
		요 약
시각 기술	1) 시력	정상 범위임
	2) 잘 볼 수 있는 위치	경사진 면
	3) 시선 고정 능력	30~60cm 거리의 대상에 고정함
청각 기술	1) 청력	정상범위임
	2) 집중(선호)하는 소리	휴대폰소리를 선호함

③ 인지능력 평가		
		요 약
기초인지능력		3문항 중 1문항에서 정반응 보임
사물의 기능이해 및 상징이해 능력	1) 사물의 기능	3문항 중 1문항에서 정반응 보임
	2) 상징의 대응	아무런 반응을 보이지 않음

④ 언어능력 평가			
		요 약	
표현언어	1) 수긍하기	(유)/ 무	표정(웃음)으로 표현함
	2) 부정/거부하기	(유)/ 무	울음이나 표정(찡그림)으로 표현함
	3) 물건 요구하기	(유)/ 무	발성과 시선으로 표현함
	4) 행동 요구하기	(유)/ 무	신체를 흔들거나 발을 쳐서 몸으로 표현함
	5) 기분/감정표현하기	(유)/ 무	표정으로 표현함
	6) 고르기	(유)/ 무	시선
	7) 부르기, 주의 끌기	(유)/ 무	시선
	8) 인사하기	(유)/ 무	표정과 시선
	9) 질문하기	유 /(무)	
	10) 설명하기	유 /(무)	
수용언어	1) 일상어휘의 이해	이해할 수 있는 어휘가 없음	
	2) 지시어의 이해	이해할 수 있는 어휘가 없음	
	3) 상태 묘사/수식어의 이해	이해할 수 있는 어휘가 없음	
	4) 학습활동 관련어휘의 이해	이해할 수 있는 어휘가 없음	

면담 자료에 의한 해석

대상아동 김영욱은 만 11세 5개월 된 남학생으로 서울시 용산구에 살고 있으며, 현재 지체장애 특수학교에 재학 중이다. 뇌성마비(혼합형) 아동으로 손으로 사물을 쥐는 능력은 없으나 오른손이 우세하며, 팔을 들고 내릴 수는 있으나 불수의적인 움직임이 동반된다. 이 아동은 출생 시 뇌성마비라는 진단을 받았으며 현재까지 대학병원에서 꾸준하게 주 1회 물리치료를 받아왔다.

언어와 인지와 관련된 특성으로는 언어를 사용하여 의사소통하지 못하며 좋고 싫음에 대해서 얼굴표정이나 소리내기로 표현하는 정도이다. 좋고 싫음을 울음이나 기타 신체적인 행동으로 표현하고, '어' 라는 대답으로 하고 싶은 일에 대답을 하기도 한다. 자발어를 이용한 표현의사소통 능력은 없으나 다른 사람의 말을 수용하는 능력은 그보다 높은 것으로 추정되었다. 좋고 싫은 것에 대해 얼굴표정으로 나타낼 수 있으나 일관성은 없고 때로는 네/아니오의 반응을 소리내기로 표현하기도 하였다. 표준화된 검사 척도 결과는 0~1세 수준의 인지력을 나타내나 일상 생활 속에서의 사물의 이름을 알고 있는지 정확하게 파악되지는 않으나 관찰에 의하면 그 이상의 능력을 가지고 있는 것으로 추정되어 많은 부분을 비공식 검사에 의존하여 평가를 하였다.

이 아동은 아버지, 어머니, 두 살 아래의 여동생과 함께 살고 있었다. 부모의 학력은 모두 대학교 및 대학원 졸업을 하였으며, 아버지의 직업은 개인 사업을 하시고, 어머니는 아동을 양육하기 위해 아동에게 매여있었다. 만 4세가 되면서 서울의 한 지체장애 특수학교의 유치부에 1년 재학하였고, 바로 초등부로 진학하여 4학년까지는 매일 집에서 등하교 하는 아동이었다. 아동의 주 양육은 어머니가 하였으며, 아동의 모든 요구 사항을 다 알아서 들어주고 24시간 내내 보호하는 생활을 하였다고 한다. 학교생활에도 적응하는 데에 시간이 오래 걸렸으며, 단체생활에서의 규율 따르기가 어려웠다고 하며, 학습 능력이 어느 정도인지 파악되기 힘든 상태였다고 말하고 있다. 아동이 5학년에 진학하면서 용산구에 소재한 한 사설 복지시설에 맡겨진 상태이다. 그 곳은 약 40명의 다양한 장애를 가진 원아들이 4명의 보육교사와 함께 24시간 생활하는 곳이다.

AAC 사용에 대해 복지시설의 책임자는 호의적이며 아동의 언어 수준에 대해서는 주로 아동의 표정을 보면서 양육자 스스로 알아서 해주는 것이 대부분이었다. 다행히 아동은 자기가 좋아하는 것에 관해서는 밝은 표정으로 웃기 때문에 주위의 사람들도 아동의 선호도는 파악할 수 있다고 하였다.

특별한 문제행동은 없으나 편식이 심하고 식사거부 행동이 잦은 편이며 의사소통이 원활하지 않아 불만스러운 표정을 지을 때가 많다고 한다. 선호하는 물건은 없으나 주 1회 하는 수영 활동을 좋아한다고 한다. 주의집중시간이 짧고, 좋아하는 활동과 좋아하지 않는 활동에 따라서 수행 차이가 매우 심하며, 움직임이 많은 활동과, 밖에 나가서 할 수 있는 활동에 적극적으로 참여하는 태도를 보였다. 학습에 관심이 적어 반응이 매우 적으나, 활동적인 수업에만 웃음과 기타 반응을 보이며, 소극적이고 흥미나 감정을 잘 표현하지 않는 등 반응이 적은 편이다.

검사결과에 의한 해석

자세 및 이동능력 평가 결과 아동은 신경운동의 손상으로 인해 근육의 긴장상태가 비정상적인 소견을 나타내고 있다. 운동능력은 바닥에 눕혀주면 혼자서 구르기를 할 수 있으나, 원하는 방향으로 이동하지는 못한다. 피더시트를 이용하여야 앉을 수 있으며, 신체 기능의 발달이 미약하며 고개 가누기를 하지 못하며 스스로 할 수 있는 기능이 거의 없다. 그래서 비정상적인 근육긴장의 영향을 감소시키기 위해 어깨와 몸통의 안정성을 유지하기 위한 보조도구로써 어깨부위와 골반부위에 고정 장치가 장착되어 있는 휠체어에 앉을 때가 가장 편한 자세임을 알 수 있다. 고개 가누기도 약간의 어려움이 있어 머리지지대가 있는 휠체어가 필요함을 알 수 있다.

신체기능 평가 결과 아동은 손과 팔을 이용하여 뻗거나 쥐기, 놓기, 지적하기 등의 의도적인 움직임을 할 수 없는 것으로 나타났다. 그러나 자발적인 움직임이 가능한 부위를 찾아본 결과 눈 응시하기가 가능한 것으로 나타났다. 구체적으로는 사물을 4개이하로 제시했을 때 지적하고자하는 것을 눈으로 응시하여 표현할 수 있으며 사물내신 그림카드를 4개미만으로 제시했을 때 역시 눈으로 응시하여 고를 수 있는 것으로 나타났다. 책상 정도의 크기에 10X10cm 크기의 그림카드를 제시하는 것이 적당한 것으로 나타났다.

감각능력 평가 결과 사용하고자 하는 상징들의 유형, 크기, 배치, 간격, 색깔에 대한 결정을 하기 위해 시각과 청각 능력을 진단하였다. 시력과 청력은 정상범위이며 30-60cm 거리의 경사진 면 위에 제시했을 때 시선 고정이 용이한 것을 알 수 있다. 학교 입학 시 진단 자료와 관찰에 의해 시력과 청력의 손상이 없음을 알 수 있었다. 단, 고개조절이 어렵기 때문에 그림판을 제시할 때 휠체어의 책상 위에 잘 보일 수 있도록 제시하는 것이 필요한 것으로 나타났다.

인지능력 평가 결과 눈 응시 방법으로 알아본 결과 사물의 개념과 기능의 이해력이 명확하게 수립되었다고 보기는 어려우나 각각 1문항에서 정반응을 나타낸 것으로 보아 기초개념의 지도가 필요함을 알 수 있다. 사물과 사물을 나타낸 상징을 대응하지 못하는 것으로 보아 아직 사물-상징의 대응능력은 수립되지 않았음을 알 수 있다.

언어능력 평가 결과 표현 언어 능력 10가지 기능 중 질문하기와 설명하기를 제외한 8가지 기능에서는 모두 표현할 수 있는 것으로 나타나 잠재적인 언어표현능력이 형성되었음을 알 수 있다. 대부분 표현하는 방법은 웃는 표정이나 울음 등의 표정과 시선, 발성, 신체 움직임 등으로 나타내는 것을 보아 자발적인 표현능력이 있음을 알 수 있다. 수용 언어 능력은 일상어휘, 지시어 등 전반적인 수용 언어 능력이 거의 없는 것으로 나타났다.

관찰자료 및 반응내용에 의한 해석

아동은 오른손의 조절력이 가장 우세한 것으로 나타났다. 손 들기 지시에 오른손을 위로 10㎝ 정도 들 수 있으나 지시에 항상 반응하지는 않는다. 칩톡, 그림의사소통판을 이용한 직접선택하기 기술을 사용할 경우 비정상적인 반응과 과도한 근육긴장, 비정상적 자세 때문에 손으로 원하는 것을 지적하는데 어려움을 보였다. 스위치를 통해 스캐닝 방법을 시도해보았으나 인지적인 이유로 어려움을 보였다. 따라서 상징간의 간격이 충분히 확보된 형태의 그림판을 사용하여 눈 응시 방법으로 의사소통을 지도해야 함을 결정하였다. 아동의 피로를 예방하기 위하여 관찰한 결과 적절한 중재시간은 20분으로 파악되었다.

사례 A | AAC 교육 중재 방안

AAC 평가 결과 김영욱 아동을 위한 의사소통 중재는 다음과 같이 제안할 수 있다.

1. 의사소통 중재 시의 교육환경의 구성

AAC 의사소통판은 반사행동을 피할 수 있고 효율적인 움직임이 가능하도록 휠체어용 책상에 15° 각도의 경사각을 제시한 후 그 위에 그림카드(10×10cm)를 벨크로로 붙여 제시한다. 대상 아동은 0-1세의 영아기 수준의 낮은 수용이해 능력을 가지고 있으므로 아동이 선택할 수 있도록 보조하여 의사를 표현 하게 한다.

2. 의사소통 방법의 선택

본 아동의 의사소통 방법은 발성을 이용한 네/ 아니오의 표현과 눈 응시를 이용한 표현 두 가지를 같이 지도한다.

의사소통 방법을 선택하기 위한 팁은 다음과 같다.

TIPS!

- 음성, 제스처, 사인, 의사소통판, 의사소통책, 음성출력기구 등 다중양식의 방법을 사용하도록 권장한다.
- 다른 사람에게 메세지를 전달하는 데 효과적이어야 한다.
- 가능한 빠르게 효율적으로 전달할 수 있어야 한다.
- 사회적으로 수용 가능해야 한다.

3. 의사소통 상징의 선택

처음에는 실질적인 사물에서 사진 상징, 그림 상징 등 구체적인 것에서 시작하여 지도한다. 실물과 상징을 연결시킬 수 있도록 같이 제시하는 것이 효과적이며 그림 의사소통 상징(Picture Communication Symbol)(Mayer-Johnson, 2005)과 같은 소프트웨어 프로그램을 이용하면 용이하다. 상징은 현재 아동의 능력에 맞는 이해하기 쉽고 사용하기 쉬운 것이어야 하며 동시에 미래의 의사소통 기능의 범위와 정도가 향상될 것을 고려하여 장기적으로 사용과 확장이 가능한 상징을 사용하는 것이 바람직하다. 사용할 수 있는 상징의 예는 다음과 같다.

4. 의사소통 어휘의 선정

지도해야 할 어휘는 어머니와 교사, 보육교사, 담임교사 등 아동의 주변 사람들과의 의견 교환과 관찰을 통해 아동에게 친숙한 기능적인 항목들을 알아낸다.

어휘를 선정하기 위한 방법은 아래와 같이 제시할 수 있다.

TIps!

- 아동의 주변 사람들과 의견 교환을 통해 수집하기(또래, 친구, 가족, 양육자, 교사, 치료사 등)
- 자연적인 상황에서 상호작용하는 것을 관찰하여 수집하기
- 매일의 일상 일지 기록하기
- 장애가 없는 또래가 같은 상황에서 사용하는 어휘 수집하기

어휘는 일상생활에서 사용 빈도 수가 높은 것, 교과서에서 자주 언급되는 것, 연령에 적절한 것을 선정하여 의사소통의 기회를 가능한 많이 제공할 수 있는 것들로 선정한다. 어휘목록은 아동에게 의미 있고, 주목할 만한 상황의 활동과 흥미 거리들을 반영하는 것이어야 한다. 선정된 어휘는 다음과 같다.

요구사항	감정	사람	장소	사물
목 말라요	좋아요	엄마	학교	휴대폰
불편해요	싫어요	담임선생님	베드로의 집	키보드
아파요	사랑해요	최선생님		카메라
나가고 싶어요	화가 나요	유선이(동생)		휠체어
그만할래요		응상이(친구)		컴퓨터
눕고 싶어요		형욱이(친구)		자동차
앉고 싶어요		미영이(친구)		텔레비전
안녕하세요?				
도와주세요				

수집 시 고려할 사항은 다음과 같다.

TIPS!

- 생활 속에서의 사용 빈도 수
- 생활연령 적절성
- 아동의 성별, 흥미, 관심분야
- 학교 교육과정과 개별화교육개획(IEP)에 근거한 어휘 수준

기본적인 어휘에 포함될 수 있는 내용은 다음과 같다.

TIPS!

- 명사(사람, 장소, 물건)
- 관계를 나타내는 말(커요/작아요)
- 움직임을 나타내는 말(먹어요, 자요, 가요)
- 감정을 나타내는 말(좋아요/슬퍼요/화가 나요)
- 긍정, 부정을 나타내는 말(네/아니오)
- 중지를 나타내는 말(그만 할래요)
- 반대되는 말(더워요/추워요, 깨끗해요/더러워요)
- 색상을 나타내는 말
- 위치를 나타내는 말

5. 의사소통 기술의 지도

기본적인 요구하기, 대답하기 등 1:1의 반응지도가 필요하다. 그림판을 이용한 표현하기 기술의 지도는 다른 사람과 상호작용을 하기 위해 반드시 습득해야 할 기술들이다. 교사의 질문을 듣고 그에 적절한 자신의 의사에 표현하는 그림을 눈 응시로 표현하게 한다.

아동의 선호도 조사를 통해 좋아하는 것과 싫어하는 것을 동시에 제시하여 선택의 의욕을 높여주고 선택에 대한 보상을 알게 한다. 예를 들어 색종이를 제시하며 동그라미 모양으로 오려보자고 한 뒤 "무엇이 필요하지?" 라고 물으며 가위와 풀 그림을 나타낸 그림판을 제시하고 선택하게 한다. 이 단계에서는 자연스러운 상호작용 상황에서 실물을 이용하여 선택할 수 있는 기회와 필요를 제공한 뒤 자연적인 강화로 의사표현 행동을 촉진하며 선택의 폭은 4개로 제시한다.

그림판의 사용에 익숙해지도록 하기 위해 교사가 질문을 할 때에는 그림판의 그림에 시선을 집중할 수 있도록 지도한다. 이때는 아동의 신체적 잔존능력 여부와 운동기능(움직임의 범위, 미칠 수 있는 거리, 방향 등)과 지각 능력을 고려하고 그림을 쉽게 지적할 수 있도록 고려한다. 일상생활 중 자주 사용하는 고빈도 어휘와, 선호하는 활동에 대한 어휘를 선정하여 4개 세트씩 제시하여 지도한다. 일상어휘와 사물의 개념을 확장시키는 것이 필요하다.

의사소통 기술을 지도하기 위한 교수 방법은 다음과 같다.

TIps!

- 아동에게 기술을 설명한다.
- 기술사용에 대해 어떻게 왜 사용하는지 모델을 보여준다.
- 각 상황에서 기술을 잘 표현했는지 설명해준다.
- 기술을 사용하는 것을 연습하게 한다.

- 수행정도에 대한 피드백을 제공한다.
- 연습할 기회를 충분히 제공한다.
- 능숙하게 사용할 수 있을 때까지 지속적으로 연습하게 한다.
- 단순한 상황이나 과제로 시작하여 점차 어려운 상황이나 과제로 요구사항을 늘려 교수한다.
- 실생활에서 일반화될 수 있도록 지도한다.

6. 의사소통 어휘 및 그림 상징의 지도

의사소통에 필요한 어휘는 다른 교과 시간에도 지도할 수 있으며 어휘의 이해와 확장을 위해 학습과 연결하여 지도한다. 그림의사소통 상징을 지도하기 위해서는 그림과 실물 짝짓기, 그림을 색칠하거나 오리고 붙이기, 같은 그림 찾기 등 학습지 활동을 이용하여 그림 상징의 의미를 인식할 수 있도록 지도한다. 사용할 수 있는 학습지의 예는 다음과 같다.

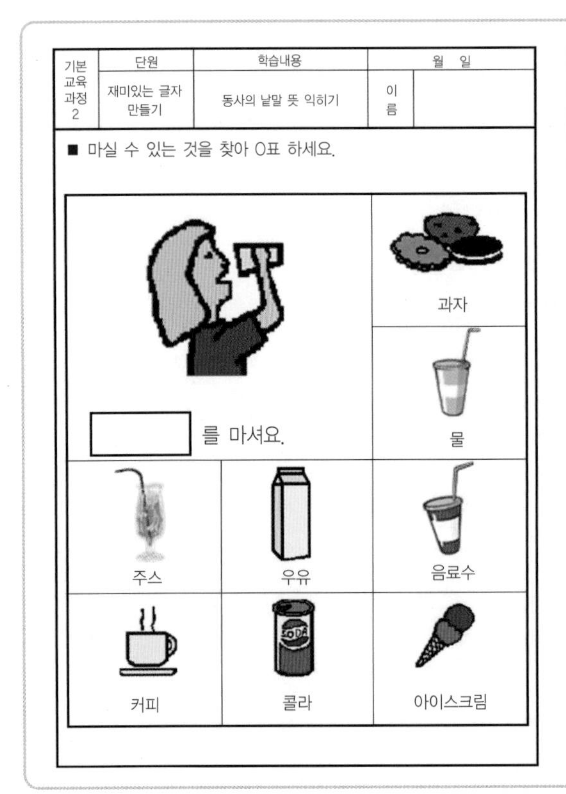

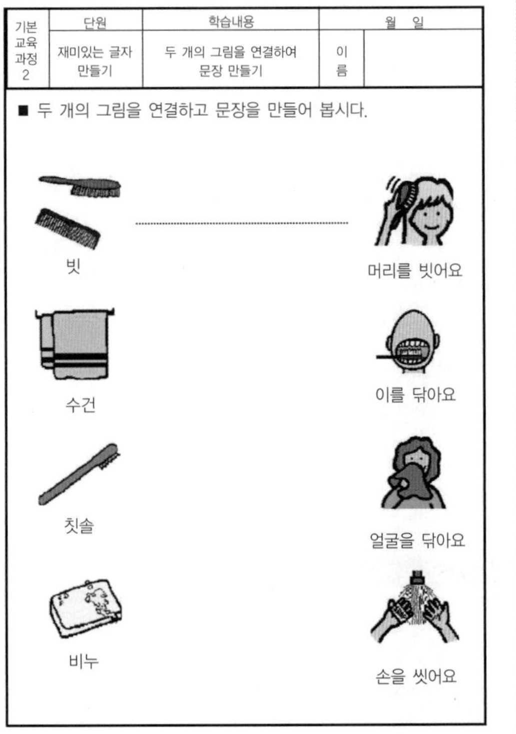

출처 : 박은혜, 김정연, 표윤희(2007). 중도 지체장애 학생을 위한 국어과 교수-학습 전략 개발 연구. 안산 : 국립특수교육연구원

2) 사례 B : 김운규(가명)

보완대체 의사소통 기초능력 평가 결과보고서

대상아동	김운규 (남)	생년월일	1995년 3월 24일 (만 12세 7개월)
평가자	김 ○ ○	평가일자	2007년 10월 30일
기타사항			

① 운동능력 평가

		요 약
자세 및 이동능력	1) 가장 편한 자세	자세 및 이동 능력에서 일상적인 생활하는데 어려움이 없음
	2) 앉기 능력	
	3) 이동 능력	
신체기능	1) 손(팔)의 기능	정교한 소근육 운동 능력이 요구되는 경우 외에는 좌우 손사용에서 특이한 문제점이 없음. 물건이나 그림카드를 지적하거나 잡는데 문제없음.
	2) 사물 선택 기능	3~4 개 이상의 사물 중에서 해당되는 물건을 고를 수 있음
	3) 그림 선택 기능	실물과 그림을 매칭할 수 있으며, 4개 이하의 그림 중에서 알맞은 것을 선택할 수 있음
	4) 그림 의사소통판의 크기	엽서크기 이하 가능함
	5) 그림(사진)의 크기	5×5cm 이하의 그림크기 구별 가능함
	5-1) 기타 배려 사항	없음
	5-2) 필요한 보조공학적 장비	없음
	5-3) 사용가능한 스위치	없음
	6) 스캐닝 기능	4개 이하의 항목 스캐닝 가능함
	7) 스캐닝 시 필요한 시간	7~10 초 정도의 시간이 소요됨

② 감각능력 평가

		요 약
시각 기술	1) 시력	정상 범위임
	2) 잘 볼 수 있는 위치	책상 위 바로 앞에 놓아주면 됨
	3) 시선 고정 능력	1~2m 거리에서 선호하는 활동, 사물일 경우 시선을 고정하여 주의 집중함
청각 기술	1) 청력	정상범위임(거리가 먼 곳에서 작은 소리에도 반응)
	2) 집중(선호)하는 소리	음악소리에 주의를 더 잘 기울임(악기 소리 선호)

③ 인지능력 평가

		요 약
기초인지능력		3문항 모두 정반응 보임
사물의 기능이해 및 상징이해 능력	1) 사물의 기능	3문항 모두 정반응 보임
	2) 상징의 대응	3문항 모두 정반응 보임

④ 언어능력 평가

		요 약	
표현언어	1) 수긍하기	(유)/ 무	웃거나 약간 고개를 끄덕임
	2) 부정/거부하기	(유)/ 무	울거나 고개를 돌림
	3) 물건 요구하기	(유)/ 무	교사나 어른의 손을 사물 쪽으로 당김
	4) 행동 요구하기	(유)/ 무	거의 없음
	5) 기분/감정표현하기	(유)/ 무	일반적으로 기분/감정 표현을 하지 않음
	6) 고르기	(유)/ 무	촉진에 따라 여러 개 중에서 필요한 것 고르기 가능함
	7) 부르기, 주의 끌기	(유)/ 무	교사의 팔을 잡거나 손잡기로 표현함
	8) 인사하기	(유)/ 무	상대방의 인사에 반응하는 수준임
	9) 질문하기	유 /(무)	나타나지 않음
	10) 설명하기	유 /(무)	나타나지 않음
수용언어	1) 일상어휘의 이해	일상생활에서 자주 쓰는 어휘를 이해할 수 있음	
	2) 지시어의 이해	신변처리와 관련된 기초 어휘를 이해할 수 있음	
	3) 상태 묘사/수식어의 이해	기초적인 수식어나 상태묘사 어휘를 이해할 수 있음	
	4) 학습활동 관련어휘의 이해	색, 숫자, 도형, 크기와 같은 기초학습어휘를 이해할 수 있음	

면담 자료에 의한 해석

대상 아동은 만 12세 7개월로 서울시 지적장애 특수학교 5학년에 재학 중이며 자폐 범주성 장애아동이다. 장애 진단 시기는 만 3세 때이고, 발달장애 2급으로 판정받았다. 가족 환경은 아버지 대학원 졸이며 회사원이고, 어머니는 대졸에 전업 주부이다. 초등학교 3학년인 여동생이 1명 있다. 부모 모두 대상 아동에 대한 애정이 많으며, 특히 여동생이 오빠에 대한 애정이 각별하고 잘 챙겨주는 편이다. 학년 전 조기교육의 경험은 현재 재학 중인 특수학교 유치부에 1년 다니다가 초등부 1년 유예한 상태에서 사설 통합교육 유치원에 다녔다. 자폐평가 척도인 CARS 측정결과 중등도 자폐로 나왔으며, 학업 및 행동 특성으로는 국어시간에 간단한 이야기를 듣고 해당하는 그림을 지적할 수 있으며, 자신을 호명하는 소리를 듣고 손을 들 수 있다. 받침 없는 쉬운 글자 변별이 가능하다. 의사표현은 비구어이며, 요구사항이 있을 때 교사나 성인의 팔을 당기며 요구하는 사물 쪽으로 데리고 가는 수준이다. 간단한 연속 지시 따르기에는 어려움이 있다. 사회 영역은 기본적인 신변처리가 가능하나 독립적인 옷 입고 벗기가 잘 안된다. 편식이 심하지 않으나 교사의 촉진이 있어야 반찬을 골고루 먹는 편이다. 화폐의 쓰임에 대해 구별은 가능하나 필요한 물건을 구입할 수는 없다.

수학 영역에서는 같은 모양끼리 연결하기가 가능하고, 이름을 듣고 네모, 세모, 동그라미 모양을 찾을 수 있다. 1~10까지 숫자를 듣고 해당되는 숫자를 찾을 수 있으며, 구체물을 이용하여 '작다', '크다', '높다', '낮다', '무겁다', '가볍다'를 구별할 수 있다.

예체능 영역에서는 음악 듣기를 매우 좋아하며, 음과 박자에 맞춰 타악기를 연주할 수 있다. 주어진 밑그림에 알맞게 색을 칠할 수 있고, 정교하지는 않지만 단순한 모양에 맞추어 가위질을 할 수 있다. 그러나 만들기, 꾸미기 등의 정교한 소근육 운동을 요하는 미술활동에는 전반적으로 도움이 요구된다. 달리기, 오르기, 구르기 등의 대근육 운동을 요하는 체육활동에는 잘 참여하나 기구나 게임 등의 규칙을 이용한 체육활동에는 참여가 저조한 편이다. 시범에 따라 정확한 동작을 따라 하는 데는 어려움을 보인다.

행동 특성으로는 온순하고 밝은 얼굴 표정을 나타내고, 수업 시 착석을 잘 하며, 교사의 지시를 대체로 잘 따르는 편이다. 용의가 단정하고, 자기의 물건을 잘 챙기는 편이다. 그러나 주의집중시간이 짧고, 이동 수업 시 대열 이탈이 빈번하며(엉뚱한 곳을 쳐다보다가 대열을 놓침, 수시로 주의를 환기시켜야 함), 특정 인형에 집착하고, 낯선 환경과 낯선 상황일 때 위축된 행동을 보인다.

현재 학교 방과 후 참여 프로그램은 월,화,목,금요일에 미술과 음악 교육을 받고 있으며, 그 외 모 교회 단체에 운영하고 있는 복지관에 수, 토요일에 다니고 있다. 이 곳에서는 현장 체험학습 중심으로 운영되고 있다고 한다.

종합하면, 전반적으로 학업 능력과 사회성 기술이 저조하며, 특히 구어적인 표현력 없어 이 영역에서 가장 우선적인 중재가 이루어져야 하겠다. 일반적으로 두드러진 문제행동이 없고 온순하여 자칫 수업 시간에 다양한 활동 참여에 제외될 위험이 있다.

부모님들은 대상아동의 언어능력이 향상되길 바라고 있는데 특히 구어적으로 의사를 표현할 수 있기를 기대한다고 하였다. 또한, 또래와 상호작용 기술이 증진되길 바란다고 하였다.

담임교사는 아동이 통합교육환경에서 사회성 기술 습득이 더 유익함을 권유하여도 부모는 통합교육에 대한 부정적인 인식으로 이를 거부한다고 보고하였다. 부모가 아동에 대한 애정에 비해 아동에 대한 기대 수준이 너무 낮고, 유아 취급하는 경향이 심하다고 하였다. 담임교사는 대상 아동의 음악적 선호도와 기타 특성을 고려하여 음성출력의사소통도구를 희망하였다.

검사결과에 의한 해석

운동능력 평가 결과 대상아동은 이동 능력이나 기본적인 대근육 운동을 요하는 운동능력에서는 큰 문제가 없으며, 소근육 운동을 요하는 것은 정교한 운동능력은 다소 부족하지만 가위질이나 물건을 잡고 놓는 데는 별 문제가 없다. 손사용 능력에서는 왼손과 오른손 사용이 다 가능하다. 실물과 그림카드를 고를 수 있는 능력은 3~4 개 까지 있을 때 해당되는 물건 하나를 고를 수 있다. 아동에게 가장 적합하다고 생각되는 의사소통판은 엽서크기 이하여도 가능하다. 가장 작은 크기의 그림은 5×5cm 이하이며, 선택에 필요로 하는 보조 장비는 없다. 그리고 4개 이하의 항목이 배열되었을 때 가장 잘 스캐닝하는 편이다. 스캐닝하는 데 필요한 시간은 약 7~10초 정도 걸린다.

감각능력 평가 결과 시각 및 청각 영역에서는 일상적인 범위 내에서 특이한 문제가 없으며, 특히 악기소리나 노래듣기를 선호하며, 먼 거리의 작은 소리에 대한 집중력이 높은 편이다.

인지능력 평가 결과 기초인지능력 검사에서 전체항목을 검사한 결과 사물영속성에 대한 개념이 이루어져 있으며, 전체 사물에서 분리된 한 부분을 보고 해당하는 원래의 사물을 찾을 수 있다. 그리고 사물의 기능 이해 면에서도 대부분 정확하게 구별할 수 있었다. 실물과 사진이나 그림에 대한 대응 능력 또한 우수한 편이다. 그러나 실물과 낱말카드의 매칭 능력 평가에서는 어려움이 보였다.

언어능력 평가 결과 1) 표현언어 좋아하는 장남감을 제시하였을 때 손을 뻗으며 얼굴 표정이 밝아지고, 제시되는 사물에 관심을 없을 때는 다른 곳을 본다. 싫어하는 사물을 제시하였을 땐 고개를 돌리거나 얼굴을 찡그린다. 좋아하는 활동인 음악 듣기 그림을 제시했을 때 손으로 그림을 지적하며 교사에게 다가와 팔을 당긴다. 기분, 감정 표현하기 평가에서는 실시가 곤란하여 평상 시 취한 행동에 대해 담임교사의 면담을 참조하였다. 좋은 기분일 때는 웃는 얼굴을, 무엇인가 기분이 좋지 않을 때는 울기도 하는 데 대체로 기분에 대한 표현은 거의 보이지 않는 편이다. 자기가 선호하는 물건을 고를 수 있으며 상대방을 부르거나 관심 끌기 행동은 잘 나타내지 않는다. 인사하기는 상대방이 먼저 시도할 경우에 반응을 하고, 자발적인 인사는 하지 않는다. 정보요구하기나 질문하기 및 설명하기 항목에서는 측정이 불가능하였다. **2) 수용언어** 유아기 2~3세 수준으로, 일상어휘는 일상적인 동사인 먹어요, 자요, 가요 등을 이해한다. 지시어는 역시 유아기 2~3세 수준으로 지시를 듣고 익숙한 물건을 가져올 수 있다. 상태묘사에서는 일상적인 형용사 아프다, 예쁘다를 이해한다. 학습활동과 관련하여 친숙한 명사를 이해하고, 세모, 네모 등의 이름을 듣고 찾을 수 있으며, 2~3개의 색깔 개념은 가지고 있다.

관찰자료 및 반응내용에 의한 해석

아동의 현행수준은 구어로 의사표현을 할 수 없으나 필요한 경우 교사나 성인의 팔을 잡아당기는 등의 비구어적인 의사표현을 나타냈다. 아동의 이러한 의사소통 양식은 또래간의 상호작용을 소극적으로 만들 수 있으므로 무엇보다도 시급한 의사소통의 중재 목표는 적극적인 의사표현 방법의 지도와 구어를 촉진하는데 중점을 두어야 할 것이다. 이 아동의 강점으로는 사물의 개념을 알고 그림과 매칭 할 수 있으며, 해당되는 그림의 직접 선택하기가 가능하다. 또한 관찰에 의하면 악기를 매우 좋아하고, 먼 거리에서도 작은 소리에 대한 집중력이 높은 편이므로 음성출력 의사소통 도구를 이용하여 또래들 간의 상호작용을 촉진시킬 수 있는 방안을 고려해 보아야 할 것이다. 장기적으로는 의사소통의 어휘를 확장하는 계획을 세워야 할 것으로 보인다.

사례 B | AAC 교육 중재 방안

AAC 진단 결과 사례 B 김운규 아동을 위한 의사소통 중재는 다음과 같이 제안할 수 있다.

대상아동에게는 음성출력의사소통도구가 유용할 것으로 보인다. 도구를 사용하기 전에 기본적인 사물과 상징의 구별 지도와 기본적인 동사에 해당하는 상징 구별지도를 우선적으로 해야 한다.

1. 중재도구

음성출력의사소통도구(VOCA)를 이용한 의사소통 중재

- '칩톡(Cheap Talk)' 과 기능면이 유사한 녹음/재생 버튼이 여러 개 장착된 녹음기 형태이며, 케이스는 아동이 악기를 좋아하므로 피아노 긴반 모형을 활용하어 내부에 음성칩(IC)을 내장하여 녹음기와 같은 구조로 재설계한다. 피아노 건반을 버튼으로 활용하여 각 건반마다 다른 메시지를 녹음할 수 있도록 특별 제작한다. 건반은 총 8개로 각기 다른 색상으로 구성되며, 각 건반 버튼 위에는 그림상징과 글자를 부착하여 아동이 쉽게 필요한 버튼을 사용할 수 있도록 한다.

2. 수집된 어휘 목록(장기 목표)

1) 주세요 2) 좋아요 3) 싫어요 4) 화장실 가고 싶어요 5) 먹고 싶어요
6) 도와주세요 7) 안녕하세요 8) 아파요.

3. 지도상 유의점

- 중재 중 어휘는 상황에 따라서 순서를 바꾸어서 지도해도 된다.
- "우발교수"를 활용하여 아동이 의사표현을 할 수 있는 상황을 조성하도록 한다.
- 사물과 그림 대응 능력이 있으나 동사와 관련된 그림카드에 대한 사전 지도가 우선적으로 이루어져야 하며, 4개 이하의 그림 중에서 스캔이 가능하므로 그 이상의 그림 중에서 스캔하여 그림을 선택할 수 있는 능력을 향상시킬 수 있도록 한다.

4. 일반화 계획

장소 일반화- 학교/가정
대상 일반화- 담임, 교과교사, 치료교사

5. 개별화교육 계획

1) 현재수행수준

〈언어 능력〉

- 구어로 의사표현을 할 수 없다.
- 요구하기 시 교사나 성인의 팔을 잡아당긴다.
- 행동이 요구되는 지시 따르기를 할 수 있다.
- 쉬운 낱말과 그림을 연결할 수 있다.
- 간단한 이야기를 듣고 해당되는 그림을 지적할 수 있다.

〈도구 작동 능력〉

- 간단한 버튼을 누를 수 있을 정도의 소근육 운동은 발달되어 있다.
- 악기를 매우 좋아하고, 타악기 연주 실력이 우수한 편이다.

2) 장기 목표

- 음성출력의사소통 도구를 이용하여, 상황에 알맞게 8종류의 의사표현을 할 수 있다.

3) 단기 목표

예) "주세요"를 상황에 알맞게 표현할 수 있다.

- 지시에 따라 8개의 동사 그림 중에서 '주세요'에 해당되는 그림을 지적할 수 있다.
- '주세요' 그림상징이 붙어있는 VOCA 버튼을 촉진 하에 누를 수 있다.
- 실제 상황에서 "주세요"에 해당되는 VOCA 버튼을 촉진 없이 누를 수 있다.

3) 사례 C : 이수연(가명)

보완대체 의사소통 기초능력 평가 결과보고서

대상아동	이수연 (여)	생년월일	1998년 5월 16일 (만 9세)
평가자	김 ○ ○	평가일자	2007년 5월 20일
기타사항	초등학교 2학년 재학		

① 운동능력 평가

		요 약
자세 및 이동능력	1) 가장 편한 자세	일반 휠체어나 일반 의자에 앉기
	2) 앉기 능력	팔걸이가 있는 의자에 앉음
	3) 이동 능력	스스로 수동휠체어를 사용하여 이동함
신체기능	1) 손(팔)의 기능	양손을 이용하여 물건을 잡고 놓기, 지적하기를 할 수 있음
	2) 사물 선택 기능	사물 8개 이상일 때 고를 수 있음
	3) 그림 선택 기능	그림카드 8개 이상일 때 고를 수 있음
	4) 그림 의사소통판의 크기	A4 크기
	5) 그림(사진)의 크기	3×3cm 크기
	5-1) 기타 배려 사항	없음
	5-2) 필요한 보조공학적 장비	없음
	5-3) 사용 가능한 스위치	없음
	6) 스캐닝 기능	8개 항목의 스캐닝도 가능함
	7) 스캐닝 시 필요한 시간	5초 정도

② 감각능력 평가

		요 약
시각 기술	1) 시력	정상 범위임
	2) 잘 볼 수 있는 위치	휠체어 책상이나 일반책상 위에 놓아주면 됨
	3) 시선 고정 능력	60cm이상 거리의 대상에 고정할 수 있음
청각 기술	1) 청력	먼 곳의 소리나 작은 소리도 잘 들을 수 있음
	2) 집중(선호)하는 소리	골고루 잘 들음

③ 인지능력 평가

		요 약
기초인지능력		3문항 중 2문항에서 정반응 보임
사물의 기능이해 및 상징이해 능력	1) 사물의 기능	3문항 중 2문항에서 정반응 보임
	2) 상징의 대응	실제 사물과 실물상징, 그림, 사진을 연결할 수 있음

④ 언어능력 평가

		요 약	
표현언어	1) 수긍하기	㊌/ 무	"네"라는 소리로 표현함
	2) 부정/거부하기	㊌/ 무	신체(손흔들기), 발성으로 표현함
	3) 물건 요구하기	㊌/ 무	원하는 물건을 사용하는 행동, 사진이나 그림을 지적함
	4) 행동 요구하기	㊌/ 무	상대방의 손을 잡아당기거나 원하는 활동이 의미하는 행동을 나타낼 수 있음
	5) 기분/감정표현하기	㊌/ 무	발성이나 표정으로 나타냄
	6) 고르기	㊌/ 무	선택하려는 물건을 지적하거나 잡기, 사진이나 그림 지적하기가 가능함
	7) 부르기, 주의 끌기	㊌/ 무	발성을 사용함
	8) 인사하기	㊌/ 무	표정과 고개를 숙여 인사함
	9) 질문하기	㊌/ 무	"왜?" 라는 말을 사용하여 질문함
	10) 설명하기	㊌/ 무	소리나 행동으로 모방하여 설명함
수용언어	1) 일상어휘의 이해	일상생활에서 자주 쓰는 어휘를 이해할 수 있음	
	2) 지시어의 이해	신변처리와 관련된 기초 어휘를 이해할 수 있음	
	3) 상태 묘사/ 수식어의 이해	기초적인 수식어나 상태묘사 어휘를 이해할 수 있음	
	4) 학습활동 관련어휘의 이해	색, 숫자, 도형, 크기와 같은 기초학습어휘를 이해할 수 있음	

면담 자료에 의한 해석

대상아동 이수연은 만 9세 된 여학생으로 경기도 고양시 일산동구에 살고 있으며, 현재 지체장애 특수학교에 재학 중이다. 뇌성마비(혼합형) 아동으로 양손을 사용하여 책을 넘기거나 손으로 사물을 쥐고 간단한 동작들을 스스로 할 수 있다. 양손을 이용하여 휠체어를 밀 수 있을 정도의 신체기능을 가지고 있다. 경련장애로 인해 약을 복용하고 있으나 일상생활에는 지장이 없다. 출생 시 뇌성마비라는 진단을 받았으며 현재까지 주 1-2회씩 물리치료를 받아왔다. 지금은 하지 않지만 5년 이상 언어치료를 받아 왔다.

성격이 밝고 명랑하여 좋고 싫음에 대해서 얼굴표정이나 소리내기, 손짓하기로 표현할 수 있다. 다양하지는 않지만 10개 정도의 자발어를 이용한 의사표현이 가능하며 다른 사람의 말을 수용하는 능력은 그보다 높은 것으로 추정된다. 일상 생활 속에서의 사물의 이름과 사람에 대해 잘 알고 있으며 필요한 것은 다양한 제스처와 소리, 표정으로 표현할 수 있다. 이 아동은 아버지, 어머니, 두 살 위의 오빠와 함께 살고 있다. 부모의 교육열이 높은 편이고 아동에게 필요한 모든 교육방법과 전략에 대해 비교적 수용적이다. 아동의 주 양육은 어머니가 하고 있으나 학교생활을 통해 만나는 다른 사람들과 자연스러운 의사소통이 가능하고 스스로 자기의 의사를 표현하고자 하는 의지도 강한 편이다.

특별한 문제행동은 없으나 자기의 마음을 알아주지 않거나 답답할 때에는 곧잘 의기소침해지고 반항적인 행동을 보이기도 한다. 의사소통이 원활하지 않은 환경과 사람 앞에서는 바로 표정에 드러날 정도로 불만을 표시하며 좋고 싫은 것에 대한 표현이 명확하다. 수업 태도가 좋은 편이나 선호하는 활동과 선호하지 않는 활동에 대한 참여도가 다르다. 음악, 미술, 체육 등 움직임이 많은 활동, 직접 참여하는 활동에는 적극적으로 참여하는 태도를 보였다. 비교적 수업 시간에는 적극적인 편이며 좀 더 다양한 감정과 의사를 표현할 수 있는 기회가 주어진다면 더 많은 참여를 기대할 수 있을 것으로 생각된다.

검사결과에 의한 해석

자세 및 이동능력 평가 결과 이 아동은 신경운동의 손상으로 인해 앉은 상태에서는 근육의 긴장상태가 비정상적이긴 하나 몸통의 안정성을 확보하도록 벨트나 의자를 체형에 맞게 조절해 주면 상체의 움직임이 활발해질 것으로 나타나고 있다. 운동능력은 휠체어를 스스로 밀고 가고 싶은 방향으로 이동할 수 있다. 신체의 기능 장애는 경한 편이며 손을 이용하여 스스로 할 수 있는 기능이 다양하다.

신체기능 평가 결과 아동은 손과 팔을 이용한 여러 가지 활동이 가능하고 간단한 모방행동도 가능하여 스스로 표현해 낼 수 있는 신체 표현도 다양하다. 구체적으로는 사물을 8개 이상으로 제시했을 때 지적하기가 가능했고 사물대신 그림카드를 8개 이상으로 제시했을 때에도 역시 손으로 지적하여 고를 수 있는 것으로 보아 책상 정도의 크기 위에 3X3cm 크기의 그림카드를 제시하는 것이 적당한 것으로 나타났다.

감각능력 평가 결과 이 아동의 경우 시력과 청력의 문제소견은 없었으며 60cm거리에서 제시하는 그림카드의 변별도 가능했다. 다양한 그림카드를 책상 위에 제시해 주었을 때 시선 고정에 문제가 없었으며 학교 입학 시 진단 자료와 관찰에 의해 시력과 청력의 손상이 없음을 알 수 있었다.

인지능력 평가 결과 손으로 지적하여 인지능력을 알아본 결과 사물의 개념과 기능의 이해력이 수립되었다고 볼 수 있으나 정확한 표현은 아직 미흡한 편이며 질문을 듣고 이해하고 이해한 것을 표현하는 과정에서 쉽게 주의가 산만해지는 것이 관찰되었다. 사물과 사물을 나타낸 상징은 대응할 수 있어서 사물-상징의 대응능력은 수립된 것을 알 수 있다.

언어능력 평가 결과 표현 언어 능력 10가지 기능은 모두 표현할 수 있는 것으로 나타나 잠재적인 언어표현능력이 형성되었음을 알 수 있다. 대부분 표현하는 방법은 몇 가지 언어나 울고 웃는 표정과 시선, 발성, 신체 움직임 등 다양한 방법을 사용하고는 있었다. 그러나 좀 더 구체적이고 세밀한 표현기능이 신장되어야 할 필요가 있는 것으로 나타났다. 일상어휘, 지시어 등 전반적인 수용 언어 능력은 2-3세의 유아기 수준인 것으로 나타났다.

관찰자료 및 반응내용에 의한 해석

이 아동은 양손을 이용하여 스스로 할 수 있는 기능들이 다양하였다. 또한 의사표현 방법도 한 가지가 아니라 그때 그때 필요한 모든 수단을 동원하여 적극적으로 나타내는 것을 관찰할 수 있었다. 그러나 아동이 사용하고 있는 기존의 방법은 몇 가지 제한된 표현이므로 좀 더 다양한 상황에서 세분화하여 표현할 수 있는 어휘와 상징을 지도하는 것이 필요하다. 이 아동의 장점은 손의 기능이 우수한 편이며 한글은 읽을 수 없으나 그림에 대한 변별이 가능하고 표현하고자 하는 의지가 강한 점이다. 강점을 바탕으로 아동의 말을 보완할 수 있는 의사소통 상징체계의 제작과 중재가 필요하다. 이 아동의 인지능력에 적절한 어휘 목록을 선정하여 그림상징 형태로 제시하여 의사표현을 하도록 지도하는 그림으로 된 대화판(그림1)이 유용할 것이며 장기적으로는 한글을 습득하는데 도움이 될 수 있도록 그림과 글자를 같이 제시해 주는 것이 바람직할 것이다. 나아가 상황에 따라 사용할 수 있는 대화책을 준비하여 필요한 어휘 목록을 계속적으로 보충해주고 필요한 어휘를 확장해 나가는 계획이 필요하다. 대화책에 사용되는 그림의 크기는 평가결과 나온 3X3cm로 시작하되 필요에 따라서는 그림의 크기를 줄이고 글자의 크기를 키워나가는 형태의 대화책(그림2)이 유용할 것이다.

>> 그림 1

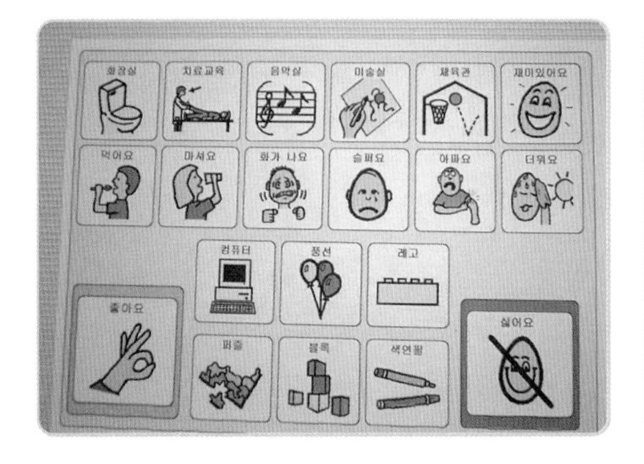

>> 그림 2

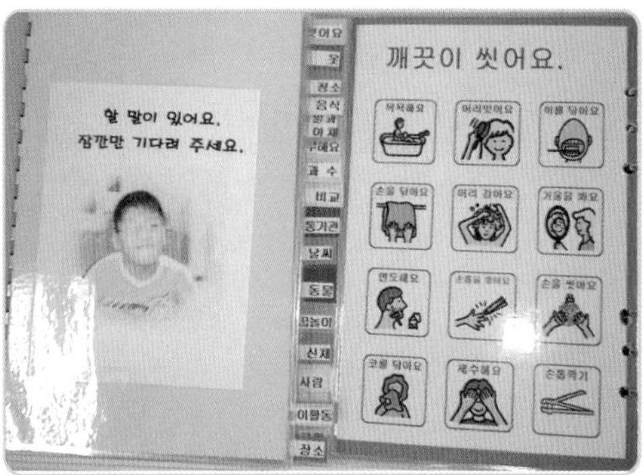

4) 사례 D : 손재석(가명)

보완대체 의사소통 기초능력 평가 결과보고서

대상아동	손재석 (남)	생년월일	1993년 6월 10일 (만 14세 3개월)
평가자	김 ○ ○	평가일자	2007년 9월 11일
기타사항	중학교 2학년 재학		

① 운동능력 평가

		요 약
자세 및 이동능력	1) 가장 편한 자세	자세교정 쿠션(inner)이 장착된 휠체어에 앉음
	2) 앉기능력	휠체어를 이용하여 앉음
	3) 이동능력	전동휠체어를 사용하여 이동함
신체기능	1) 손(팔)의 기능	잡고 놓기를 할 수 있으나 시간이 많이 소요됨
	2) 사물 선택 기능	범주화된 의사소통판을 사용할 수 있음
	3) 그림 선택 기능	범주화된 의사소통판을 사용할 수 있음
	4) 그림의사소통판 크기	A4 크기
	5) 그림(사진)의 크기	3×3cm 크기
	5-1) 기타 배려 사항	그림판을 신체 중심으로 왼쪽에 제시해줌
	5-2) 필요한 보조공학적 장비	없음
	5-3) 사용 가능한 스위치	없음
	6) 스캐닝 기능	8개 항목 중에서 스캐닝할 수 있음
	7) 스캐닝 시 필요한 시간	3초 정도

② 감각능력 평가

		요 약
시각 기술	1) 시력	정상범위임
	2) 잘 볼 수 있는 위치	8개 항목 중에서 스캐닝 할 수 있음
	3) 시선 고정 능력	3초 정도 고정함
청각 기술	1) 청력	정상범위임
	2) 집중(선호)하는 소리	•

③ 인지능력 평가

		요 약
기초인지능력		3문항 중 2문항에서 정반응 보임
사물의 기능이해 및 상징이해 능력	1) 사물의 기능	3문항 중 2문항에서 정반응 보임
	2) 상징의 대응	실제 사물과 실물상징, 그림, 사진을 연결할 수 있음

④ 언어능력 평가

		요 약	
표현언어	1) 수긍하기	(유)/ 무	고개, 손 들기로 표현함
	2) 부정/거부하기	(유)/ 무	고개, 손 젓기로 표현함
	3) 물건 요구하기	(유)/ 무	손으로 물건을 지적하거나 첫글자를 써서 표현함
	4) 행동 요구하기	(유)/ 무	표정이나 손으로 지적하기 등 제스처로 표현함
	5) 기분/감정표현하기	(유)/ 무	표정이나 제스처로 불편한 부분을 가리킴
	6) 고르기	(유)/ 무	손으로 지적하거나 문자로 첫 글자를 써서 표현함
	7) 부르기, 주의 끌기	(유)/ 무	발성이나 손짓으로 표현함
	8) 인사하기	(유)/ 무	손을 들거나 고개를 숙여 인사함
	9) 질문하기	(유)/ 무	질문이 있을 때 손을 들어 표현함
	10) 설명하기	(유)/ 무	첫 글자를 문자로 써서 표현함
수용언어	1) 일상어휘의 이해	고학년 수준의 교과학습어휘를 이해할 수 있음	
	2) 지시어의 이해	고학년 수준의 교과학습어휘를 이해할 수 있음	
	3) 상태 묘사/수식어의 이해	고학년 수준의 교과학습어휘를 이해할 수 있음	
	4) 학습활동 관련어휘의 이해	고학년 수준의 교과학습어휘를 이해할 수 있음	

면담 자료에 의한 해석

대상아동 손재석은 만 14세 3개월 남학생으로 서울시 마포구에 살고 있으며, 현재 지체장애 특수학교 중학부 2학년에 재학 중이다. 뇌성마비(경직형)아동으로 왼손이 우세하며, 글씨를 쓴다거나 손을 이용한 다양한 활동은 할 수 있으나 경직과 불수의 운동으로 인해 소요시간이 길고 신체적인 노력이 많이 요구된다. 이 아동은 출생 시 뇌성마비라는 진단을 받았으며 1년전 까지 주 1회 물리치료와 언어치료를 받아왔으며 현재 병원치료는 받지 않고 있다.

이 아동은 아버지, 어머니, 두 살 아래의 남동생과 함께 살고 있다. 부모의 학력은 모두 대졸이며 어머니의 건강 문제로 인해 일주일에 1-2회 정도는 결석을 한다. 방과 후 이용하는 기관이나 치료시설은 없으며 하루 일과 중 어머니와 있거나 컴퓨터를 하는 시간이 많다. 컴퓨터는 평상시에 즐겨하는 게임이 있으며 마우스를 사용하여 스스로 즐기며 할 수 있다.

다양한 발성음을 표현할 수 있으므로 어머니는 말을 통한 의사소통이 가능하기를 기대하고 언어치료를 받아왔으나 현재는 주로 하루의 일과를 같이 보내는 어머니가 알아서 아동의 요구사항을 들어주고 필요한 것을 제공하기 때문에 의사소통에는 별 어려움이 없다고 한다. 학교에서의 의사소통은 손을 들거나 고개를 끄덕여서 네/아니오를 표현할 수 있으므로 교실 안에서의 간단한 의사소통에는 어려움이 없다고 한다.

학년이 올라갈수록 다른 사람과 상호작용할 시간은 줄고 대신에 혼자서 컴퓨터 게임을 하는 시간이 늘어나서 조절이 필요한 시점이다. 학교에서의 수업 태도는 좋은 편이며 많은 결석에도 불구하고 수업 진도에는 큰 어려움 없이 따라가고 있다. 수업활동에 대한 참여 태도는 수용적이나 가지고 있는 능력에 비해 웃음이나 기타 네/아니오 식의 신체 반응 만을 나타내며, 흥미나 감정을 잘 표현하지 않는 등 지나치게 소극적이며 반응이 적은 편이다.

검사결과에 의한 해석

자세 및 이동능력 평가 결과 본 아동은 신경운동의 손상으로 인해 근육의 긴장상태가 비정상적인 소견을 나타내고 있다. 운동능력은 자세교정 쿠션(inner)이 있는 휠체어에 앉아 있을 경우 상체를 지지하여 양손을 사용할 수 있다. 그러나 왼손은 우세한 반면 오른 손의 경직으로 양손 협응 동작을 하는 데에는 많은 어려움을 보인다. 이 아동은 몸통의 안정성을 유지해 주는 휠체어와 휠체어 책상을 제시해 줄 경우 상지의 안정성을 확보할 수 있다.

신체기능 평가 결과 아동은 손과 팔을 이용하여 뻗거나 쥐기, 놓기, 지적하기 등의 의도적인 움직임을 할 수 있다. 다만 소요되는 노력과 시간이 많아 비효율적인 것으로 나타났다. 구체적으로는 사물을 8개 이상을 제시했을 때 지적하고자하는 것을 정확하게 왼 손으로 지적할 수 있으며 사물대신 글자카드를 8개 이상으로 제시했을 때 역시 손으로 지적하여 고를 수 있는 것으로 나타났다. 책상 위에 3X3cm 크기의 그림이나 글자카드를 제시하는 것이 적당한 것으로 나타났다. 지적하는 속도는 글자카드 보다는 그림카드가 더 빠른 것으로 나타났다.

감각능력 평가 결과 사용하고자 하는 상징들의 유형, 크기, 배치, 간격, 색깔에 대한 결정을 하기 위해 시각과 청각 능력을 진단하였다. 시력과 청력은 정상범위이며 책상 위에 제시했을 때 손으로 지적하기 용이한 것을 알 수 있다. 다만 그림이나 글자판을 제시할 때 왼손이 우세한 이 아동의 경우 책상의 왼쪽에 제시해 줄 때 더 쉽게 지적하는 것을 볼 수 있다.

인지능력 평가 결과 손으로 지적하기 방법으로 알아본 결과 각 문항에서 짧은 시간 내에 모두 정반응을 나타낸 것을 볼 때 사물의 개념과 기능의 이해력이 명확하게 수립된 것으로 볼 수 있다. 맞춤법이 완벽하지는 않으나 한글이 습득되어서 필요한 말의 첫 글자를 책상 위에 써서 뜻을 표현하고자 하였다.

언어능력 평가 결과 표현 언어 능력 10가지 기능은 모두 표현할 수 있는 것으로 나타나 잠재적인 언어표현능력이 형성되었음을 알 수 있다. 대부분 표현하는 방법은 손으로 지적하거나 표정, 발성, 신체 움직임 등으로 나타내는 것을 보아 자발적인 표현능력이 있음을 알 수 있다. 일상어휘, 지시어 등 전반적인 수용 언어 능력은 6세 이상의 학령기 수준 이상인 것으로 나타났다.

관찰자료 및 반응내용에 의한 해석

아동은 스스로 할 수 있는 작업능력은 많으나 많은 힘과 시간이 걸려서 대부분은 타인에게 의존하고자 하며 간단한 의사소통만을 하고 있을 뿐이다. 모든 환경에서 어머니를 통해 몇 가지 신체적 제스처로 필요한 것을 표현해 낼 뿐 적극적인 표현은 거의 나타나지 않았다. 이 아동의 경우 한글이 완벽하지는 않으나 기능적인 수준에서의 사용은 큰 어려움이 없으므로 한글의 낱글자를 이용하여 필요한 낱말들을 지적하여 사용하도록 글자판을 이용하여 훈련한다면 좀 더 다양한 의사소통 기능을 할 수 있으리라 생각된다. 장기적으로는 글자판(그림1)의 낱글자를 일일이 지적하는 데 필요한 시간과 노력을 아끼기 위해서는 아동의 어휘목록을 만들어서 수첩형태(그림 2)로 제시해주는 것도 바람직한 접근이라 생각된다. 진단결과 왼손의 조절력이 가장 우수하므로 아동을 중심으로 신체의 왼쪽에 제시해주어 사용이 용이하도록 해 주는 배려가 필요하겠다. 또한 장기적으로는 컴퓨터나 노트북을 이용한 공학적 접근을 통해 아동의 흥미나 적성을 고려한 의사소통 지도방안도 적용해볼 수 있겠다.

>> 그림 1

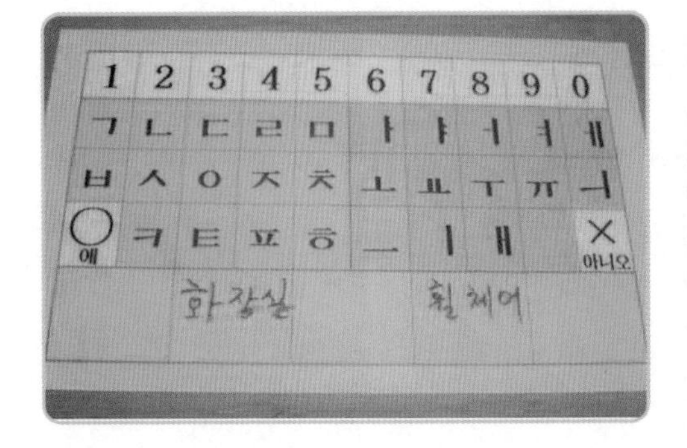

>> 그림 2

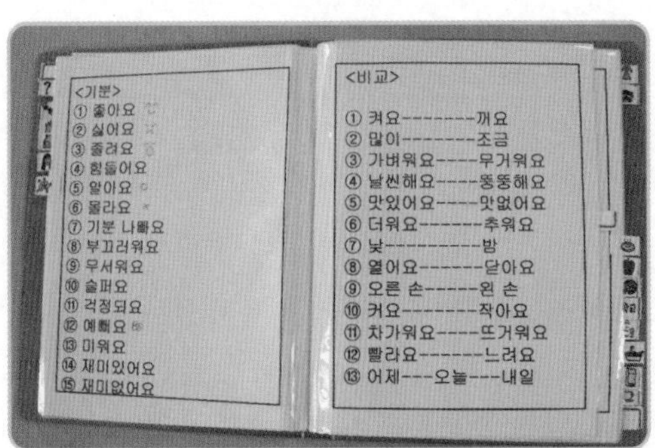

V. 파라다이스

보완대체 의사소통

기초능력 평가

검사지

Ⅰ. 배경 정보

1. 아동 및 평가자, 정보제공자 배경정보

<table>
<tr><td rowspan="2">대 상 아 동</td><td rowspan="2">이 름 (남 / 여)</td><td>생년월일</td><td>년 월 일
(만 세 개월)</td></tr>
<tr><td>소속기관
(학교 및 학년)</td><td></td></tr>
<tr><td rowspan="2">평 가 자</td><td rowspan="2">이 름</td><td>평가일자</td><td>년 월 일</td></tr>
<tr><td colspan="2">☐ 특수교사
☐ 언어치료사
기타 ________________</td></tr>
<tr><td rowspan="2">정 보 제 공 자</td><td rowspan="2">이 름</td><td>대상아동과의 관계</td><td></td></tr>
<tr><td>대상아동과
알고 지낸 기간</td><td></td></tr>
</table>

2. 아동의 교육 및 치료관련 정보

<table>
<tr><td>아동의 주요 장애유형</td><td></td></tr>
<tr><td></td><td>진단자가 알고 있는 공식적 검사가
☐ 없음 ☐ 있음

있다면 :
● 언어검사
☐ 그림 어휘력 검사 결과 : ________
☐ SELSI 결과 : ________
☐ PRES 결과 : ________
☐ U-TAP 결과 : ________

● 지능검사
☐ KEDI-WISC 결과 : ________
☐ WIPPSI 결과 : ________

● 학력검사
☐ KISE-기초학력검사 결과 : ________</td></tr>
</table>

	● 그 외 아동에 관한 구체적인 진단 혹은 검사 결과를 알고 있다면
	● 그 외 진단자의 관찰에 의한 아동관련 정보가 있다면
AAC 경험 유무	☐ 없음 ☐ 있음 **있다면 사용기간 :** **사용한 AAC 유형 :** ☐ 그림의사소통판 ☐ 음성출력 의사소통 도구 ☐ 손짓, 제스처
부모 의견	**AAC 사용에 대한 의견 :** ☐ AAC 사용에 동의함 ☐ AAC 사용에 동의하지 않음 이유 : ______ **아동의 언어 수준에 대한 의견 :** ● 수용언어 ______ ______ ● 표현언어 ______ ______
행동 특성	● 문제 행동이 ☐ 있음 ☐ 없음 문제행동이 있을 경우 : ______ ● 선호하는 물건이나 활동이 ☐ 있음 ☐ 없음 선호하는 물건이나 활동이 있을 경우 : ______

Ⅱ. 아동 능력 평가

평가자가 직접관찰로 알기 어려운 항목은 부모 보고 혹은 아동을 잘 알고 있는 물리치료사 또는 작업치료사의 의견을 참고로 하여 기록합니다.

1장 | 운동능력 평가

1. 자세 및 이동능력

① 방법 : 아동이 일반 의자에 앉아 있는 자세를 관찰합니다. 만약, 아동이 의자 자세를 혼자서 취할 수 없다면 주위에서 가능한 할 수 있도록 도와주어야 합니다.
② 자료 : 다양한 의자(소파, 팔걸이의자 등), 자세교정 쿠션(inner), 안전벨트 등

1) 아동이 가장 편하게 취할 수 있는 자세는 무엇입니까?

- ☐ ① 옆으로 눕기
- ☐ ② 바로 눕기
- ☐ ③ 엎드리기
- ☐ ④ 앉기

기타 ____________________

2) 아동의 '앉기' 능력은 어느 정도입니까?

- ☐ ① 앉기 자세를 유지하기 힘들다.
- ☐ ② 장애 아동용 의자(예:피더시트)에 앉을 수 있다.
- ☐ ③ 휠체어를 이용하여 앉을 수 있다
- ☐ ④ 일반 의자를 이용하여 앉을 수 있다.

기타 ____________________

3) 이동능력은 어느 정도입니까?

- ☐ ① 스스로 이동이 어려움

☐ ② 전동휠체어 사용
☐ ③ 수동휠체어 사용
☐ ④ 보조 받아 걷기(워커/ 난간을 짚고 걷기/보조자의 도움)
☐ ⑤ 독립보행
기타 ________________

2. 신체기능

① 방법 : 아동이 이미 알고 있는 물건을 앞에 2~3개 늘어놓고 직접 조작하여 보도록 합니다. 아동이 할 수 있는지 관찰한 후 할 수 있는 항목에 표시하고 자세한 사항을 적어주십시오.
② 자료 : 장난감 등
예) 신체를 이용하여 표현하는 방법을 구체적으로 기록함.

1) 손 혹은 팔을 사용하여 할 수 있는 기능은 무엇입니까? (중복 표시 가능)

☐ ① 의도적인 행동을 할 수 없다.
☐ ② 사물을 잡으려고 손을 뻗을 수 있다.
☐ ③ 사물을 손으로 쥘 수 있다.
☐ ④ 사물을 손으로 잡고 놓을 수 있다.
☐ ⑤ 지적하기(또는 누르기)를 할 수 있다.

1-1) 문항 1)에서 ②~⑤에 응답하였을 때 가장 쉽게 사용하는 부위는 어디입니까?

☐ 손가락. ____왼손 ____오른손 ____양손
☐ 손 전체(주먹). ____왼손 ____오른손 ____양손
기타 ________________

1-2) 문항 1)에서 ①에 응답하였을 때 자발적 움직임이 가능한 신체부위는 어디입니까?

☐ 눈 ________________________________
☐ 머리 ________________________________

☐ 왼 팔 ______________________

☐ 오른 팔 ______________________

☐ 왼 발/ 다리 ______________________

☐ 오른 발/ 다리 ______________________

기타 ______________

2) 아동이 실물을 고를 수 있는 기능은 어느 수준입니까?

① 방법 : 아동에게 적합한 실물을 2→4→8개 순으로 제시한 후 검사자의 지시에 따라 고르도록 합니다.
② 자료 : 컵, 신발, 사과, 연필 등 아동에게 적합한 실물
③ 유의사항 : 고르는 기능은 문항 1-2)에 기재된 어떠한 방법이라도 가능합니다.

☐ ① 고를 수 없다.(문항 5-2로 가십시오.)

☐ ② 실물 2개가 있을 때 고를 수 있다

☐ ③ 실물 4개 이하가 있을 때 고를 수 있다

☐ ④ 실물 8개 이하가 있을 때 고를 수 있다

☐ ⑤ 실물 9개 이상이 있을 때 고를 수 있다

3) 사물 대신 그림카드를 제시했을 때 아동이 사용할 수 있는 기능에 표시해주십시오.

☐ ① 고를 수 없다.

☐ ② 그림카드 2개가 있을 때 고를 수 있다

☐ ③ 그림카드 4개 이하가 있을 때 고를 수 있다

☐ ④ 그림카드 8개 이하가 있을 때 고를 수 있다

☐ ⑤ 그림카드 9개 이상이 있을 때 고를 수 있다

☐ ⑥ 여러 주제로 범주화된 의사소통판을 사용하여 고를 수 있다

4) 아동에게 적합하다고 생각되는 의사소통판의 크기에 표시해주십시오.

☐ ① 책상 크기

☐ ② 8절 크기

☐ ③ 16절 크기

☐ ④ 엽서 크기

5) 아동이 정확하게 고를 수 있는 가장 작은 그림, 혹은 사진 한 장의 크기는 어느 정도입니까?

☐ ① 3×3㎝크기

☐ ② 5×5㎝크기

☐ ③ 10×10㎝크기

☐ ④ 10×10㎝ 이상

기타 ________________

5-1) 다음 중 아동이 의사소통판을 사용할 때 좀 더 편하게 선택할 수 있도록 해 주는 것은 무엇입니까?

☐ ① 사물을 가까이에서 제시한다.

☐ ② 의사소통판의 각도를 세워서 제시한다.

☐ ③ 그림과 그림 간의 간격을 넓게 제시한다.

☐ ④ 의사소통판을 신체 중심으로부터 (오른쪽, 왼쪽)에 제시해 준다.

☐ ⑤ 의사소통판의 배열을 바꾸어 준다.

기타 ________________

5-2) 다음 중 아동이 직접선택하기를 더 잘 할수 있도록 하기위해 사용하는 보조공학적 장비는 무엇입니까?

☐ ① 키가드

☐ ② 헤드포인터, 헤드스틱

☐ ③ 포인터, 핸드 그립

☐ ④ 마우스스틱

☐ ⑤ 스위치

☐ ⑥ 발 마우스

기타 ________________

5-3) 아동이 사용해 본 일이 있거나 사용하고 있는 스위치가 있다면 써주십시오.

[예 : 젤리빈, 조이스틱 등]

---

6) 여러 항목(사물, 사진, 그림)이 배열된 것을 보고 스캐닝 할 수 있는 능력은 어느 정도입니까?

- ☐ ① 스캐닝 하지 못한다.
- ☐ ② 2개 항목 중에서 스캐닝 할 수 있다.
- ☐ ③ 4개 항목 중에서 스캐닝 할 수 있다.
- ☐ ④ 8개 항목 중에서 스캐닝 할 수 있다.

7) 배열된 것을 스캐닝할 때 필요한 시간은 어느 정도입니까?

- ☐ ① 측정하기 어렵다.
- ☐ ② 10초 이상
- ☐ ③ 5초 정도
- ☐ ④ 3초 정도
- ☐ ⑤ 1초 이하

2장 | 감각능력 평가

※ 아동이 감각능력(시각, 청각)과 관련해서 특별한 문제가 보이지 않을 경우, 감각 능력평가 문항들을 생략하실 수 있습니다.

1. 시각 기술

1) 아동의 시력은 어느 수준입니까?

- ☐ ① 전맹
- ☐ ② 시지각 장애

☐ ③ 저시력

☐ ④ 정상 범위의 시력

기타 ______________________

2) 아동이 사물을 가장 쉽게 볼 수 있는 방법은 어떤 것입니까?

☐ ① 고정하여 볼 수 없다.

☐ ② 경사진 면에 제시하여준다.

☐ ③ 휠체어 책상이나 일반 책상 위에 놓아 준다.

☐ ④ 마운팅을 이용하여 휠체어에 부착하여 준다.

3) 사물, 사진, 그림 등에 시선을 고정할 수 있는 능력은 어느 정도입니까?

☐ ① 고정하지 못한다.

☐ ② 30㎝미만의 거리에 있는 대상에 고정할 수 있다.

☐ ③ 30~60㎝의 거리에 있는 대상에 고정할 수 있다.

☐ ④ 60㎝ 이상의 거리에 있는 대상에 고정할 수 있다.

2. 청각 기술

1) 아동의 청력은 어느 수준입니까?

☐ ① 청력 결손으로 의사소통을 시각적 정보에 의존한다.

☐ ② 큰 목소리로 해야 들을 수 있다.

☐ ③ 1m 정도 거리에서의 일상적인 대화소리를 들을 수 있다.

☐ ④ 정상 범위의 청력이다(먼 곳의 소리나 작은 소리도 잘 듣는다).

2) 특별히 좋아하거나 집중하여 들을 수 있는 소리가 있습니까? 있다면 어떤 소리입니까?

☐ ① 네 : ______________________

☐ ② 아니오

1. 기초인지능력

사물과 관련된 기초적 인지능력을 평가하기 위해 아래에서 제시하는 세 가지 행동에 대한 아동의 반응을 표시하고 세 가지 인지 능력에 관한 평가 결과를 표시해 주십시오.

1) 사물이 현재 눈앞에 잠시 보이지 않아도 완전히 사라진 것이 아니라는 것을 인식할 수 있습니까?

① 방법 : 아동이 좋아하는 과자나 음료수를 보여주고 천으로 덮어서 보이지 않게 합니다.
아동이 과자나 음료수가 없어진 것이 아니라 천 아래 있다는 것을 알고 그 음식을 얻기 위해 어떤 반응을 하는지 표시합니다.

② 재료 : 과자, 음료수

☐ 반응 있음 ☐ 반응 없음

반응 양식: ______________________________

____

2) 전체 사물에서 분리된 한 부분을 보고 원래의 사물이 무엇인지를 찾을 수 있습니까?

① 방법 : 손잡이가 없는 포크의 앞부분을 보여주고, 포크 손잡이와 바퀴가 없는 장난감 자동차를 제시하면서 어느 사물의 부분인지 고르게 합니다.

② 재료 : 앞쪽과 손잡이가 분리된 포크, 바퀴가 없는 장난감 자동차

☐ 바퀴가 없는 자동차 ☐ 포크 손잡이

반응 양식: ______________________________

____

3) 사물이 속해있는 집합의 특성을 파악할 수 있습니까?

① 방법 : 과자, 빵, 과일, 색연필을 보여주고 다른 종류의 물건이 무엇인지 하나를 고르게 합니다.
고른 물건에 표시 합니다.

② 재료 : 음식 종류 두 세 가지와 색연필

☐ 색연필 ☐ 과자(혹은 빵이나 과일)

반응 양식: ________________________

____

위의 세 가지 질문의 결과를 가지고 아래에 표시해 주십시오.

☐ ① 모두 정반응이 없다.

☐ ② 세 가지 인지 능력 진단 중 한 가지 정반응이 있다.

☐ ③ 세 가지 인지 능력 진단 중 두 가지 능력에서 정반응이 있다.

☐ ④ 세 가지 모두 정반응이 있다.

2. 사물의 기능이해 및 상징이해 능력

1) 일상생활에 사용하는 사물의 기능을 이해할 수 있습니까?

① 방법 : 아동에게 아래의 세 가지 물건의 기능을 이해하고 있는지 물어보고 아래에 표시하십시오.

② 재료 : 빗 시계 숟가락

질문1) 머리는 무엇으로 빗어요? ☐ 빗 ☐ 시계 ☐ 숟가락

질문2) 밥을 먹을 때 무엇으로 먹지요? ☐ 빗 ☐ 시계 ☐ 숟가락

질문3) 시간을 알려주는 것은 무엇이지요? ☐ 빗 ☐ 시계 ☐ 숟가락

위의 세 가지 질문의 결과를 가지고 아래에 표시해 주십시오.

☐ ① 물건의 기능에 대한 이해의 정도를 파악하기 어렵다

☐ ② 하나의 물건에 대한 기능을 이해하고 있다.

☐ ③ 두 물건의 기능을 이해하고 있다.

☐ ④ 세 물건 모두의 기능을 이해하고 있다.

2) 아동이 실제 사물과 그에 해당하는 상징을 적절하게 연관 지을 수 있습니까?

① 방법 : 아동 앞에 컵을 놓고 컵에 해당하는 상징을 찾게 합니다.
아동 앞에 신발을 놓고 신발에 해당하는 상징을 찾게 합니다.
아동 앞에 요구르트를 놓고 요구르트에 해당하는 상징을 찾게 합니다.
(각각의 상징 찾기는 가)에서부터 마)로 진행합니다.)

② 재료 : 실물 – 컵, 신발, 요구르트
상징 – 가) 실물 상징으로 사용할 빈 컵, 신발 한 짝, 빈 요구르트 병
나) 각 실물에 해당되는 사진
다) 〃 그림
라) 〃 선화
마) 〃 낱말카드

☐ ① 아무런 반응을 보이지 않는다.

☐ ② 실제 사물과 실물 상징을 연결 할 수 있다.

☐ ③ 실제 사물과 실물 상징 및, 그림, 사진, 선화를 연결할 수 있다.
(가능한 상징 형태에 표시 : ☐ 그림 ☐ 사진 ☐ 선화)

☐ ④ 실제 사물과 가)에서 마)까지의 모든 상징을 연결 할 수 있다.

4장 | 언어능력 평가

1. 표현언어

(아동의 표현방법이 각 의사소통 기능별로 어떤 차이를 가지고 있는지를 알아보고자 하는 문항이므로 중복되는 표현방법을 사용하고 있더라도 모두 기록해 주십시오.)

1) **수긍하기** : 아동이 대화 상대자의 질문에 "예", 혹은 "좋아요"라고 수긍할 때 사용하는 표현 방법이 있습니까?

☐ 있다. ☐ 없다.

있다면, 다음 중 어떤 것입니까?

① 몸짓, 시선, 발성 등 사용하기

☐ a. 신체를 사용한다(몸을 흔든다./상체를 숙인다.).

☐ b. 발성 (이해 할 수는 없으나 소리를 낸다.)

☐ c. 표정 (웃는다.)

☐ d. 시선 (눈을 깜박인다. / 눈을 바라본다.)

② 일반적인 제스처를 사용한다.

☐ a. 고개를 끄덕인다.

③ 구체적인 상징을 사용한다.

☐ a. "예", 혹은 "좋아요"에 해당하는 사진이나 그림을 지적한다.

☐ b. "예", 혹은 "좋아요" 등 대답에 해당하는 소리를 모방하려한다.

④ 추상적인 상징을 사용한다.

☐ a. 발화 (예 : ______________________________)

☐ b. 수화

☐ c. 문자 (문자판이나 글자판을 이용할 수 있다.)

2) **부정하기, 거부하기** :

장난감이나 음식을 거부하거나 어떤 행동을 하고 싶어 하지 않을 때 표현하는 방법이 있습니까?

☐ 있다. ☐ 없다.

있다면, 다음 중 어떤 것입니까?

① 몸짓, 시선, 발성 등 사용하기

☐ a. 신체를 사용한다(몸을 뒤로 젖힌다. / 손이나 팔을 움직인다. / 발을 차거나 찍는다.).

☐ b. 발성 (이해 할 수는 없으나 소리를 낸다. /소리를 지른다.)

☐ c. 표정 (찡그린다.)

☐ d. 시선 (눈을 깜박인다. / 눈을 바라본다. / 눈을 맞춘다.)

② 일반적인 제스처를 사용한다.

☐ a. 고개를 좌우로 흔든다.

☐ b. 손을 좌우로 흔든다.

☐ c. 다른 곳을 응시하여 상대방의 시선을 피한다.

☐ d. 하기 싫은 활동과 관련된 물건을 치우려고 한다.

③ 구체적인 상징을 사용한다.

☐ a. "아니오", 혹은 "싫어요"에 해당하는 사진이나 그림을 지적한다.

☐ b "아니오", 혹은 "싫어요" 등 대답과 비슷한 소리를 모방하려한다.

④ 추상적인 상징을 사용한다.

☐ a. 발화 (예 : ______________________)

☐ b. 수화

☐ c. 문자(문자판이나 글자판을 이용할 수 있다.)

3) 물건 요구하기 :

아동이 물건을 요구할 때 표현하는 방법이 있습니까?

☐ 있다. ☐ 없다.

있다면, 다음 중 어떤 것입니까?

① 몸짓, 시선, 발성 등 사용하기

☐ a. 신체를 사용한다(몸을 흔든다. / 상체를 앞으로 내민다. / 손이나 팔을 원하는 물건을 향해 뻗는다. / 발을 움직인다. / 머리를 원하는 물건이 있는 쪽으로 향한다.).

☐ b. 발성 (이해 할 수는 없으나 소리를 낸다.)

☐ c. 표정 (웃는다.)

☐ d. 시선 (눈을 깜박인다. / 눈을 바라본다. / 눈을 맞춘다.)

② 일반적인 제스처를 사용한다.

☐ a. 원하는 물건과 자기 자신을 번갈아 쳐다본다.

☐ b. 손으로 물건을 지적한다.

☐ c. 상대방의 손을 잡아당겨서 원하는 물건이 있는 쪽으로 가져간다.

③ 구체적인 상징을 사용한다.

☐ a. 원하는 물건의 사진이나 그림을 지적한다.

☐ b. 원하는 물건을 사용하는 행동을 보여준다.

☐ c. 원하는 물건의 소리를 모방하려한다.

④ 추상적인 상징을 사용한다.

☐ a. 발화 (예 : ______________________)

☐ b. 수화

☐ c. 문자 (문자판이나 글자판을 이용할 수 있다.)

4) **행동요구하기** : 하고 싶은 활동이 있을 경우(예를 들어 "밖으로 나가고 싶어요", "그네 타고 싶어요" 등) 표현하는 방법이 있습니까?

☐ 있다. ☐ 없다.

있다면, 다음 중 어떤 것입니까?

① 몸짓, 시선, 발성 등 사용하기

☐ a. 신체를 사용한다(몸을 흔든다. / 상체를 앞으로 내민다. / 하고 싶은 활동이 가능한 방향으로 몸을 움직인다. / 손이나 팔, 혹은 발을 움직인다.).

☐ b. 발성 (이해 할 수는 없으나 소리를 낸다.)

☐ c. 표정 (웃는다.)

☐ d. 시선 (눈을 깜박인다. / 눈을 바라본다. / 눈을 맞춘다.)

② 일반적인 제스처를 사용한다.

☐ a. 상대방에게 따라오라는 신호를 보낸다.

☐ b. 상대방의 손을 잡아당긴다.

③ 구체적인 상징을 사용한다.

☐ a. 원하는 활동의 사진이나 그림을 지적한다.

☐ b. 원하는 활동을 의미하는 행동, 몸짓을 보여준다.

☐ c. 원하는 활동에 수반되는 소리를 모방하려한다.

④ 추상적인 상징을 사용한다.

☐ a. 발화 (예 : ______________________)

☐ b. 수화

☐ c. 문자 (문자판이나 글자판을 이용할 수 있다.)

5) **기분, 감정 표현하기** :

속옷이 젖거나 배가 고플 경우와 같이 불편한 감정이나 기분을 표현하는 방법이 있습니까?

☐ 있다. ☐ 없다.

있다면, 다음 중 어떤 것입니까?

① 몸짓, 시선, 발성 등 사용하기

☐ a. 신체를 사용하여 자세를 바꾸려는 움직임을 보인다(발을 뻗거나 찬다/ 머리 고개를 움직인다).

☐ b. 발성 (소리를 지르거나 운다.)

☐ c. 표정 (찡그린다.)

☐ d. 시선 (눈을 깜박인다. / 눈을 바라본다.)

② 일반적인 제스처를 사용한다.

☐ a. 불편함의 원인이 된 신체 부위를 쳐다본다.

☐ b. 불편함의 원인이 된 신체 부위를 가리킨다.

③ 구체적인 상징을 사용한다.

☐ a. 기분이나 감정을 나타내는 사진이나 그림을 지적한다.

☐ b. 불편한 감정에서 벗어나기 위해 특정한 행동을 한다.

④ 추상적인 상징을 사용한다.

☐ a. 발화 (예 : ______________________)

☐ b. 수화

☐ c. 문자 (문자판이나 글자판을 이용할 수 있다.)

6) **고르기** :

물건이나 음식, 행동을 선택 할 수 있는 상황에서 아동이 자신의 의사선택을 표현할 수 있습니까?

☐ 있다. ☐ 없다.

있다면, 다음 중 어떤 것입니까?

① 몸짓, 시선, 발성 등 사용하기

☐ a. 신체를 선택한 물건 쪽으로 내민다(발을 뻗거나 찬다. / 머리를 선택한 물건 쪽으로 움직인다.
/손이나 팔을 선택한 물건 쪽으로 움직인다.).

☐ b. 발성 (이해 할 수는 없으나 소리를 낸다.)

☐ c. 표정 (선택한 물건을 보며 웃는다.)

☐ d. 시선 (선택하려는 물건을 바라본다. /선택하려는 물건을 바라보며 눈을 깜박인다.)

② 일반적인 제스처를 사용한다.

☐ a. 선택하려는 물건과 상대방을 번갈아 쳐다본다.

☐ b. 선택하려는 물건을 지적한다.

☐ c. 선택하려는 물건을 잡는다.

③ 구체적인 상징을 사용한다.

☐ a. 선택할 물건을 상징하는 사진이나 그림을 지적한다.

☐ b. 선택할 물건을 상징하는 행동이나 소리를 낸다.

④ 추상적인 상징을 사용한다.

☐ a. 발화 (예 : ______________________________)

☐ b. 수화

☐ c. 문자 (문자판이나 글자판을 이용할 수 있다.)

7) **부르기, 주의 끌기** : 상대방의 관심이나 주의를 끌기 위해 사용하는 방법이 있습니까?

☐ 있다. ☐ 없다.

있다면, 다음 중 어떤 것입니까?

① 몸짓, 시선, 발성 등 사용하기

☐ a. 손이나 팔, 발을 사용하여 상대방을 치거나 건드리거나 접촉한다.

☐ b. 발성 (소리를 낸다.)

☐ c. 표정 (웃는다.)

☐ d. 시선 (바라본다.)

② 일반적인 제스처를 사용한다.

☐ a. 상대방을 손으로 지적한다.

③ 구체적인 상징을 사용한다.

- ☐ a. 주의를 끌거나 부르려는 사람을 상징하는 그림, 사진을 지적한다.
- ☐ b. 부르거나 주의를 끌려는 상대방을 상징하는 행동이나 소리를 모방한다.

④ 추상적인 상징을 사용한다.

- ☐ a. 발화 (예 : ______________________)
- ☐ b. 수화
- ☐ c. 문자 (문자판이나 글자판을 이용할 수 있다.)

8) **인사하기** :

"고맙습니다", "감사합니다", "미안합니다" 등의 사회적 의사소통을 위해 사용하는 방법이 있습니까?

☐ 있다. ☐ 없다.

있다면, 다음 중 어떤 것입니까?

① 몸짓, 시선, 발성 등 사용하기

- ☐ a. 손이나 팔, 발을 사용하여 상대방을 치거나 건드리거나 접촉한다.
- ☐ b. 발성 (소리를 낸다)
- ☐ c. 표정 (웃는다)
- ☐ d. 시선 (바라본다)

② 일반적인 제스처를 사용한다.

- ☐ a. 고개나 머리를 숙여 인사한다

③ 구체적인 상징을 사용한다.

- ☐ a. 인사를 상징하는 그림, 사진을 지적한다.
- ☐ b. 인사를 상징하는 행동이나 소리를 모방한다.

④ 추상적인 상징을 사용한다.

- ☐ a. 발화 (예 : ______________________)
- ☐ b. 수화
- ☐ c. 문자 (문자판이나 글자판을 이용할 수 있다.)

9) **질문하기(정보요구하기)** : 질문을 하고자 할 때 사용하는 표현 방법이 있습니까?

☐ 있다. ☐ 없다.

있다면, 다음 중 어떤 것입니까?

① 일반적인 제스추어를 사용한다.

☐ a. 질문이 있으면 손을 든다.

② 구체적인 상징을 사용한다.

☐ a. 언제, 어디 등의 간단한 질문을 상징하는 그림, 사진을 지적한다.

③ 추상적인 상징을 사용한다.

☐ a. 발화 (예 : ______________________________)

☐ b. 수화

☐ c. 문자 (문자판이나 글자판을 이용할 수 있다.)

10) **설명하기** : 어떤 상황이 주어졌을 경우 자발적으로 "예뻐요", "더워요" 등 자신의 의견을 표현하고 설명하는 방법이 있습니까?

☐ 있다. ☐ 없다.

있다면, 다음 중 어떤 것입니까?

① 일반적인 제스추어를 사용한다.

☐ a. 표현하고자 하는 의견을 몸짓이나 손짓으로 나타낸다.

② 구체적인 상징을 사용한다.

☐ a. 표현하고자 하는 의견에 해당하는 그림, 사진을 지적한다.

☐ b. 표현하고자 하는 의견에 해당하는 소리, 행동을 모방한다.

③ 추상적인 상징을 사용한다.

☐ a. 발화 (예 : ______________________________)

☐ b. 수화

☐ c. 문자 (문자판이나 글자판을 이용할 수 있다.)

2. 수용언어

1) **일상 생활 어휘의 이해** : 아동의 명사에 대한 이해의 수준은 어느 정도에 해당한다고 생각하십니까?

- ☐ ① 이해할 수 있는 어휘가 없다.
- ☐ ② 일상생활에서 자주 쓰는 어휘를 이해할 수 있다.
- ☐ ③ 저학년 수준의 교과학습어휘를 이해할 수 있다.
- ☐ ④ 고학년 수준의 교과학습어휘를 이해할 수 있다.

2) **지시어에 대한 이해** : 아동의 동작지시어(앉아라, 선생님 보아라, 가방 열어라 등)에 대한 이해의 수준은 어느 정도에 해당한다고 생각하십니까?

- ☐ ① 이해할 수 있는 어휘가 없다.
- ☐ ② 신변처리와 관련된 기초 어휘를 이해할 수 있다.
- ☐ ③ 저학년 수준의 교과학습어휘를 이해할 수 있다.
- ☐ ④ 고학년 수준의 교과학습어휘를 이해할 수 있다.

3) **상태 묘사 /수식어에 대한 이해** : 아동의 수식어나 상태묘사 어휘(좋아요, 차가워요 등)에 대한 이해의 수준은 어느 정도에 해당한다고 생각하십니까?

- ☐ ① 이해할 수 있는 어휘가 없다.
- ☐ ② 기초적인 수식어나 상태묘사 어휘를 이해할 수 있다.
- ☐ ③ 저학년 수준의 교과학습어휘를 이해할 수 있다.
- ☐ ④ 고학년 수준의 교과학습어휘를 이해할 수 있다.

4) **학습 및 기타 활동과 관련된 어휘에 대한 이해** : 각 교과 내용과 관련한 설명이나 질문에 대한 이해의 수준은 어느 정도에 해당한다고 생각하십니까?

- ☐ ① 이해할 수 있는 어휘가 없다.
- ☐ ② 색, 숫자, 도형, 크기와 같은 기초학습어휘를 이해할 수 있다.
- ☐ ③ 저학년 수준의 교과학습어휘를 이해할 수 있다.
- ☐ ④ 고학년 수준의 교과학습어휘를 이해할 수 있다.

보완대체 의사소통 기초능력 평가 결과보고서

대상아동		생년월일	
평가자		평가일자	
기타사항			

① 운동능력 평가

		요 약
자세 및 이동능력	1) 가장 편한 자세	
	2) 앉기능력	
	3) 이동능력	
신체기능	1) 손(팔)의 기능	
	2) 사물 선택 기능	
	3) 그림 선택 기능	
	4) 그림의사소통판 크기	
	5) 그림(사진)의 크기	
	5-1) 기타 배려 사항	
	5-2) 필요한 보조공학적 장비	
	5-3) 사용가능한 스위치	
	6) 스캐닝 기능	
	7) 스캐닝 시 필요한 시간	

② 감각능력 평가

		요 약
시각 기술	1) 시력	
	2) 잘 볼 수 있는 위치	
	3) 시선 고정 능력	
청각 기술	1) 청력	
	2) 집중(선호)하는 소리	

③ 인지능력 평가

		요 약
기초인지능력		
사물의 기능이해 및 상징이해 능력	1) 사물의 기능	
	2) 상징의 대응	

④ 언어능력 평가

		요 약	
표현언어	1) 수긍하기	유 / 무	
	2) 부정/거부하기	유 / 무	
	3) 물건 요구하기	유 / 무	
	4) 행동 요구하기	유 / 무	
	5) 기분/감정표현하기	유 / 무	
	6) 고르기	유 / 무	
	7) 부르기, 주의 끌기	유 / 무	
	8) 인사하기	유 / 무	
	9) 질문하기	유 / 무	
	10) 설명하기	유 / 무	
수용언어	1) 일상어휘의 이해		
	2) 지시어의 이해		
	3) 상태 묘사/수식어의 이해		
	4) 학습활동 관련어휘의 이해		

면담 자료에 의한 해석

검사결과에 의한 해석

운동능력 평가 결과

감각능력 평가 결과

인지능력 평가 결과

언어능력 평가 결과

관찰자료 및 반응내용에 의한 해석